JOSÉ PALOU MARTÍNEZ

SIURELL

EXLIBRIC

ANTEQUERA 2024

SIURELL
© José Palou Martínez
Diseño de portada: Dpto. de Diseño Gráfico Exlibric

Iª edición

© ExLibric, 2024.

Editado por: ExLibric
c/ Cueva de Viera, 2, Local 3
Centro Negocios CADI
29200 Antequera (Málaga)
Teléfono: 952 70 60 04
Fax: 952 84 55 03
Correo electrónico: exlibric@exlibric.com
Internet: www.exlibric.com

ISBN: 979-13-87528-49-2
Depósito Legal: MA 2964-2024

Impresión: PODiPrint
Impreso en Andalucía – España

Nota de la editorial: ExLibric pertenece a Innovación y Cualificación S. L.

JOSÉ PALOU MARTÍNEZ

SIURELL

A mis padres por estar ahí siempre que lo he necesitado, por vuestros consejos (aunque a veces por cabezón no los siguiese). Gracias por los valores que me habéis inculcado, que hoy definen lo que soy.

A mis hermanos, Rafa, Jorge y África (Afry estás tan loca como yo o más al apoyarme con este proyecto).

A mis hijos, Juan, María y Sofía. Volad, tropezad, equivocaros, aprended. En fin, vivid, pero siempre con cabecita.

A María N. Me rescataste del pozo con un fino hilo de nylon aún a riesgo de caerte tú conmigo. Te estaré eternamente agradecido. Perdóname por ser tan intenso.

SIURELL

«Algunas veces los pasos más firmes se dan con las piernas temblando».

Siurell: figurita de barro con un silbato adosado, típica de la alfarería de Mallorca.

Mallorca es una isla española situada en el mar Mediterráneo, con una superficie de 3640 kilómetros cuadrados aproximadamente. Antaño conocida como la isla de la calma, en ella hay una gran variedad de playas preciosas y, junto con la sierra de Tramontana, la convierten en una joya de la naturaleza.

Cada vez son más los turistas y extranjeros que vienen a la isla y que ven en ella un lugar idílico para hacer su vida.

I

La residencia

El devenir de los acontecimientos comenzó con el sentimiento universal más maravilloso y, a la vez, más peligroso del mundo: el amor. Este concepto está relacionado con el afecto hacia los otros o hacia uno mismo, productor de emociones y también actitudes. Estas emociones y actitudes pueden ser tan poderosas que pueden llegar a ser irresistibles y dañinas. Es una fuerza tan poderosa que puede convertir al ser más cruel en un santo y a la persona más noble en un auténtico diablo. Solo hicieron falta tres cosas: un niño, un piano y un hacha.

27 DE ENERO DE 2004

La tarde era fría, soplaba ese viento de Tramontana tan incómodo y desagradable del mes de enero. El cielo estaba oscuro y completamente cubierto por unas nubes densas que amenazaban una intensa tormenta.

En esa época del año, en Mallorca, la lluvia y el viento suelen estar presentes todos los días del mes, y hoy no era la excepción.

No apetecía salir de casa, así que Marc pensó que poner un poco de música y tomarse una buena copa de vino tinto sería un plan excelente.

Marc eligió un disco de vinilo de entre un gran repertorio que había ido coleccionando a lo largo de los años. Era uno de Metallica, *Master of Puppets*, se lo había regalado hacía ya diez años su gran amigo Ralph Ritter, un chico de aspecto agradable que había conocido en un curso de anatomía.

Ralph era un chico alto, medía un metro ochenta y ocho, tenía el pelo negro brillante, llevaba la media melena típica de la época, estaba bastante delgado y la ropa ajustada que usaba no disimulaba su huesudo cuerpo. A los ojos de un hombre, Ralph resultaba tremendamente afeminado; a los ojos de las chicas, era un pibón en potencia.

Marc y Ralph enseguida congeniaron y se hicieron muy buenos amigos.

Prácticamente todas las tardes, al salir de clase, se iban a casa de Ralph a escuchar música y a fumar marihuana hasta la hora de cenar.

Marc siempre pensó que si Ralph hubiese practicado algún deporte y ganado algo de músculo, tendría un futuro asegurado como modelo.

Era un disco que le gustaba mucho. Era un gran melómano y para cada momento del día encontraba una banda sonora adecuada.

En el tema musical, le gustaba prácticamente todo tipo de música, excepto la música tecno de discoteca.

No salía de fiesta, pero un par de veces que lo hizo, tuvo que salir de la sala porque no soportaba esa música que él catalogaba como música del demonio.

En cuanto al vino, era distinto, solo le gustaba el vino tinto. Un corto repertorio de reservas de denominación de origen de la Rioja y una extensa variedad de Ribera del Duero.

La seleccionada fue una botella de Vega Sicilia Único Gran Reserva del 1996 de Ribera del Duero. Una exquisita añada.

Se sirvió una copa de vino y se sentó en su sillón vanguardista con acabados de madera de roble. Xispa, su inseparable perro Golden Retriever, se recostó a sus pies.

Llevaban dos años juntos, lo había recogido de una protectora de animales. El anterior dueño, un borracho que nunca se ocupaba de él, lo había abandonado y un coche le había pasado por encima, causándole numerosas fracturas.

Marc lo encontró agonizando en la carretera y lo llevó al veterinario más cercano. El veterinario localizó el chip del perro y, cuando se disponía a llamar al dueño, Marc le quitó el teléfono de las manos con un gesto algo brusco.

—Si llamas al dueño de este perro para devolvérselo, en cuanto lo tenga, volverá a abandonarlo o a hacerle algo peor. Yo me lo quedaré hasta que se ponga bien y llamaré al dueño para explicarle que no debe hacer eso con un animal —dijo Marc con voz seria.

El veterinario sabía que no podía hacer eso, pero pensó que sería un buen escarmiento saber que su perro estaba en manos de otra persona y bien cuidado.

Marc se hizo cargo de todos los gastos veterinarios y, tras varios meses de lucha, Xispa se recuperó. Únicamente le quedó una pequeña cojera en su pata trasera derecha que no le impedía hacer una vida normal.

Con su copa de vino en la mano, contemplaba a través de los grandes ventanales del comedor las primera gotas de lluvia que empezaban a caer. Desde allí podía ver las luces del mirador de Na Burguesa y, un poco más a la derecha, la bonita silueta del Castillo de Bellver.

La música sonaba de fondo y los sorbos de vino eran realmente placenteros.

Se sentía bien, pero echaba en falta una buena conversación y algo de compañía.

Tocaron el timbre del portal. Esperaba visita

24 DE ENERO DE 2004 (TRES DÍAS ANTES)

Marc había salido a desayunar a una cafetería cerca de casa, situada a unos trescientos metros de un centro comercial. El lugar estaba siempre muy concurrido, ya que era una zona donde gente con dinero lucía sus joyas, sus ropas de alta costura y paseaban en sus despampanantes coches.

A un kilómetro aproximadamente estaba el puerto deportivo, donde los yates y barcos de lujo permanecían amarrados para el deleite de muchos.

A Marc no le gustaban los yates, pero el lujo sí. Se pidió un café con leche, la leche templada (odiaba que le pusieran el café hirviendo) con leche de avena y sacarina, y para comer, una tostada con tomate a rodajas y aguacate, acompañada de una buena tortilla. Era su desayuno habitual. Como cada mañana, se sentaba en la esquina de la cafetería y cogía el periódico de la barra.

Era su ritual, leerse las noticias de sucesos locales y ver si encontraba algo que le llamase realmente la atención.

Y así fue, iba por la página 13 del diario cuando se fijó en una noticia.

No estaba destacada, aparecía en una columna en el lado derecho, pero una palabra le llamó la atención: «maltratos».

La noticia decía así:

Varias familias denuncian a una residencia de ancianos por supuestos maltratos a sus familiares internados.

Los familiares denunciaban que los ancianos tenían hematomas por el cuerpo, llagas ulcerosas por sus partes íntimas y en el trasero, y un estado evidente de inanición.

Había muchas cosas que Marc no soportaba de la raza humana, y entre todas ellas, una era el maltrato a las personas mayores.

La residencia estaba situada a unos veinte kilómetros de su casa, en un pueblo bastante importante de la isla de Mallorca, Santa Ponsa. A nivel turístico, era de los más concurridos y tenía unas playas de arena blanca impresionantes.

Miró el reloj, era temprano y tenía suficiente tiempo para volver a casa, coger su Audi de alta gama y acercarse a la residencia para ver si podía averiguar algo.

La residencia era un edificio construido en el año 1956, año muy recordado en la isla por las grandes nevadas que cubrieron de blanco Mallorca. Hasta siete grandes nevadas se contabilizaron ese año. Recordado como el año de la nieve.

Para poder entrar, solo había un paso posible y era a través de unas rejas enormes de tres metros de altura que daban paso al edificio.

La fachada del edificio estaba cubierta por piedra gris zarci, que había ido oscureciendo con el paso de los años y que le otorgaban un aspecto señorial y tenebroso a la vez. Tenía unos grandes ventanales de madera de pino.

A la entrada se accedía subiendo una escalera del mismo material que la fachada y, en uno de sus laterales, se había construido no hacía mucho tiempo una rampa para el acceso de personas con movilidad reducida.

En la pared colgaba una pieza de mármol blanco con las palabras «Residencia Relax Atio». Ya era curioso que en latín la palabra *relaxatio* significa relajación, y lo que había en ese momento en la residencia era de todo menos eso.

En la puerta de rejas vio a unas cinco o seis personas hablando y se aproximó intentado pasar desapercibido.

Una de esas personas era periodista de un periódico local y el resto, por lo que decían, eran familiares de algún interno.

Se acercó por si podía escuchar algo.

—¡Nosotros no tenemos ninguna duda, esa mujer es una maltratadora!

Tengo a mi madre a punto de morir por culpa de esa miserable, le pega patadas y puñetazos, cada vez que visito a mi madre está cagada hasta las rodillas. Ha perdido diez kilos desde que está en la residencia. A mí me dicen que es por la medicación, pero no es verdad.

—¡Verás cuando pille a esa rubia de bote que dice llamarse cuidadora!

—¡La voy a matar! ¡La cárcel no va a ser suficiente para lo que se merece!

—¿Cómo se llama su madre, señora? —preguntó el periodista.

—Se llama Aina Amengual, está en la habitación 123, del primer piso y no merece que la traten así —contestó la mujer visiblemente alterada.

Estuvieron cinco minutos más repitiendo lo mismo, que iba a denunciar a la cuidadora, a la residencia y al director.

Marc ya no necesitaba saber más de todo eso.

Vio acercarse a una mujer de edad avanzada a las rejas. La mujer pulsó el código de acceso que había en las rejas y estas se abrieron.

Era una de las cocineras de la residencia y se apresuró a entrar.

5311, ese era el código.

Marc pudo ver cómo pulsaba el código y no le entró ninguna duda al cerciorarse de que esos tres botones estaban excesivamente gastados por el uso.

Marc pensó por un instante en el código y la idea de que tuviese alguna relación con la Biblia tenía sentido.

Mateo 5, 3-11: «Bienaventurados los que tienen hambre y sed de justicia, porque ellos serán saciados».

No pudo evitar sonreír con una pequeña muesca. Marc se metió en el coche y regresó a casa.

La temperatura era baja, no amenazaba lluvia, pero empezaba a soplar un viento molesto. Eran las cinco de la tarde y prácticamente ya había oscurecido.

Marc bajó al sótano de la casa, estaba bien iluminado.

No era el típico sótano de una película de terror, oscuro y lúgubre.

Era amplio y tenía materiales de primera calidad. En las paredes recubiertas de mármol rosa, había colocado una fila de estanterías metálicas para el almacenamiento. Estaban repletas de objetos, que había ido amontonando con el paso de los años. El suelo era de cemento pulido y estaba en perfecto estado.

En la pared derecha había una puerta galvanizada con un candado que conducía a otra habitación, esta un poco más pequeña. Él la llamaba «la despensa».

Marc se dirigió a una de las estanterías y rebuscó entre los objetos durante unos instantes.

Enseguida encontró lo que buscaba, era una videocámara Sony Handycam DCR del 2003, cogió el cable junto con la batería y una cinta virgen y subió a su habitación.

Dejó cargando la batería y fue a prepararse una ensalada de lechuga con tomates y anchoas del Cantábrico. Quería una cena ligera y que no le llevase mucho tiempo preparar. Hizo un poco de tiempo leyendo un libro de anatomía humana.

Eran las 19:30 cuando subió de nuevo a la habitación, se puso ropa cómoda pero elegante. Tanto el jersey como el pantalón eran de color negro.

Cogió la batería y la introdujo en la videocámara, comprobó que funcionaba correctamente y salió de casa en dirección a la residencia.

Marc dejó el coche a tres manzanas de distancia de la residencia, la noche era de las más oscuras del año, había luna nueva y el frío calaba en los huesos.

Marc se apresuró a entrar por la puerta de rejas de la residencia, lógicamente recordaba el código de acceso, 5311, y la reja se abrió suavemente.

Eran las 21:00, la hora de la cena en la residencia, y ya se había hecho el reparto en cada habitación.

Las auxiliares de geriatría estaban en la sala de descanso. Esperaban entre una hora y hora y media para recoger las bandejas de la cena.

Marc entró sigilosamente por la puerta y atravesó el pasillo de mármol pulido. Al fondo estaba la escalera para subir al primer piso.

Una vez en el primer piso, pudo ver el cartel azul que indicaba los números de habitaciones del 101 al 123.

—¡Allá voy!— se dijo en voz baja.

Abrió la puerta lentamente. La habitación era oscura y sombría, llevaba tiempo sin limpiarse, y pudo apreciar motas de pelusa acumulada en los rincones. La ventana estaba completamente cerrada y los postigos impedían que entrase cualquier ápice de luz del exterior.

Aina Amengual estaba acostada en la cama, de espaldas a la entrada de la puerta.

Marc pudo observar a la mujer estirada en la cama, llevaba un fino camisón, parecía un esqueleto y tenía el pelo enmarañado de un color blanco inmaculado. Escuchó el leve sonido de la puerta al abrirse, pero no hizo el mínimo esfuerzo por girarse para ver quién era.

—¡Por favor, déjame tranquila! ¡No me hagas más daño! —dijo Aina con voz apenada.

—¡No puedo tomarme la cena yo sola, no insistas y por favor no me pegues más! ¡Por favor, Bindi, no me pegues más!

Marc se quedó inmóvil en la puerta de la habitación. Se le quitaron todas las dudas de golpe al escuchar las palabras de Aina.

Silenciosamente se metió en el pequeño armario de la habitación y allí esperó.

Eran las 22:15 cuando se abrió la puerta de la habitación. Marc encendió la videocámara y, con la puerta del armario entreabierta, empezó a grabar.

—¡Vieja zorra moribunda, no esperarás que yo te dé la cena! Por mí, si te mueres de hambre y te pudres ahí en esa cama llena de mierda.

—¡A ver si te vas pronto al infierno y me dejas tranquila! ¡Yo voy a seguir cobrando lo mismo! Aina empezó a sollozar sin moverse de la posición en la que se la encontró Marc.

La auxiliar se acercó a la cama y empezó a golpear en los brazos y la espalda a Aina.

—¡Muévete de una vez, pordiosera! ¡Muévete y cena que al final me echarán del trabajo por tu culpa! ¡Trabajar toda la noche para esto, qué asco!

Cada vez los golpes eran más fuertes y finalmente le soltó un puñetazo en el rostro que la dejó casi inconsciente.

—¡Por favor, Bindi, no me hagas más daño! ¡No diré nada, no me quejaré, pero Bindi, por compasión, para!

Bindi paró tras darle otro último manotazo, cogió la bandeja de la cena y salió de la habitación.

—¡Ojalá te mueras! —dijo Bindi cerrando la puerta con un violento portazo.

Marc tuvo que contenerse para no salir del armario e ir tras la mujer, pero pensándolo fríamente, era mejor esperar.

Aguardó diez minutos aproximadamente y, sin que nadie lo viese, salió de la residencia sin ningún tipo de inconveniente.

Marc volvió al coche y lo aparcó justo en frente de la residencia. Sabía que un turno de noche en cualquier residencia acababa a las seis de la mañana. Podría haberse ido a casa, pero no le importó quedarse en el coche y esperar.

Revisó la grabación y había capturado perfectamente el momento de la agresión.

—¡Bindi, se llama! ¡Bindi, curioso nombre! pensó. La palabra Bindi proviene del hindú que significa lunar y se refiere a la decoración que se ponen las mujeres indias en la frente.

Marc solo la vio de espaldas, era una mujer con el pelo muy oscuro y mechas rubias, de baja estatura, un metro cincuenta y cinco, y un acento muy curioso.

Eran las seis y cuarto de la mañana cuando varias empleadas empezaron a salir de la residencia.

Marc pudo observar a una mujer con características similares. Iba acompañada de otra empleada, rubia, delgada y de piel extremadamente pálida.

—¡Adiós, Bindi, nos vemos esta noche, descansa que seguro que estarás cansada de tanto boxeo, ja, ja! —dijo la chica rubia.

—¡Adiós, Caty! Descansa tú también que esta noche hay nuevos asaltos, ja, ja —respondió Bindi. No cabía duda, Bindi era la mujer que había grabado en la habitación.

Marc salió del coche.

—¡Buenos días, señorita! —dijo Marc muy amablemente. Llevo poco tiempo en la ciudad. ¿Me podría indicar un sitio por esta zona para poder desayunar?

Bindi vio a Marc tan elegante saliendo de ese coche deportivo tan caro que pensó que hoy era su día de suerte.

—Yo precisamente voy a desayunar ahora que he salido de trabajar, un trabajo muy duro pero que me lo tomo con pasión. Dos calles más arriba está la cafetería Rusinyol, no es gran cosa pero las tostadas con jamón serrano son muy buenas —dijo Bindi con cierta emoción.

—¡Está bien! —dijo Marc. ¡Pues probaré las tostadas pero si no están tan buenas como dices hablaremos tú y yo! —soltó una pequeña carcajada.

—¡No hay problema! —añadió Bindi.

La cafetería era antigua y bastante vulgar. Marc no hubiese pisado ese antro en ninguna otra circunstancia. A esas horas había muy poca gente.

Bindi había llegado antes y ya estaba en una mesa.

Marc llegó unos minutos después y se puso en una mesa que estaba en una esquina del bar. Se miraron y sonrieron.

La camarera se acercó para tomarle nota.

—Buenos días, ¿qué quiere tomar?

—Un café con leche de avena con sacarina y unas tostadas con jamón serrano que un pajarito me ha dicho que aquí las hacen buenísimas —comentó Marc con una mirada cómplice hacia Bindi. Ella le devolvió la mirada y sonrió.

—¡Si quieres puedes sentarte aquí conmigo y así no desayunas solo ahí en el rincón que parece que estás castigado! —dijo Bindi.

Marc había conseguido su propósito y comenzaron a desayunar en la misma mesa. Comenzaron a hablar. Bindi estaba realmente entusiasmada con la compañía, se sentía cómoda y Marc le parecía un hombre guapo e interesante. Marc, en cambio, se hubiese levantado de la silla y se hubiese ido de inmediato. A Marc, sin tener en cuenta lo que había presenciado en la residencia, Bindi le parecía una mujer vulgar, grosera, maleducada e inculta. Y no es que le pareciera, lo era. Tendría unos treinta y cinco años, pero muy mal llevados. Bindi le contó en quince minutos prácticamente su vida.

Había nacido en Mallorca, pero sus padres eran de la India, no encontraba trabajo y una amiga le dijo que había vacantes en la residencia y que podía trabajar allí. Le contó lo mucho que detestaba ese trabajo, pero que no le quedaba más remedio que trabajar para salir adelante. Marc la interrumpió:

—Si me lo cuentas todo hoy, el próximo día que nos veamos no vas a tener nada que decirme.

—¡Ay, perdona! Es que hablo más que una cotorra. —Bindi se puso a reír a carcajadas.

—Bueno, me tengo que ir —dijo Marc.

—¡Ha sido un placer! —Me gustaría volver a verte, Bindi, me pareces una chica muy agradable. Marc podía mentir muy bien y tenía la habilidad para que pareciese creíble..

—¿Te gustaría venir el jueves 27 a cenar a mi casa? —Vivo solo en un chalet en Génova (barrio situado cerca de Palma, conocido por sus restaurantes de comida típica mallorquina) y me encantaría que vinieras.

Te dejo la dirección. Marc sacó una tarjeta de visita donde aparecía su nombre, dirección y teléfono.

—¡A las 21:00 estará bien! —concluyó Marc. Y, sin tiempo para que Bindi reaccionara, Marc se marchó de la cafetería.

Bindi se quedó un poco sorprendida, pero al mismo tiempo halagada.

Ella se quedó tomándose el desayuno con una sonrisa de oreja a oreja.

Se sentía como una adolescente y ya hacía varios años que no tenía esa sensación.

Bindi llegó a la dirección que le indicaba la tarjeta que le había entregado Marc. Se quedó impresionada con la gran entrada de piedra rústica mallorquina, los cipreses a ambos lados abrían paso a un camino de cemento estampado de color marrón que dirigía directamente a la casa de estilo mallorquín. Era muy grande, tendría unos doscientos veinte metros cuadrados en dos plantas y un sótano amplio. Bindi pudo observar la elegancia en la decoración exterior con arbustos florales y una iluminación tenue pero adecuada. Tenía grandes ventanas con persiana mallorquina de color verde carruaje. La puerta de la entrada era de madera de iroko muy bien cuidada y de grandes dimensiones.

Marc abrió la puerta.

—¡Buenas noches, Bindi! ¡Pensé que no vendrías! —volvió a mentir Marc.

Bindi llevaba puesto un vestido lila recién comprado, la falda le llegaba a la altura de las rodillas y lo combinaba con unas medias negras de rejilla. Los zapatos eran de color beige con tacones altos de aguja. En la parte de arriba llevaba una chaqueta acolchada de plumas, también de color negro, que le iba perfecta para el frío de la noche.

—La verdad es que no estaba segura, he venido en autobús, la parada está un poco alejada de aquí, pero ¿por qué no? ¿Qué puedo perder? —respondió Bindi.

Marc pensó que ni arreglada de fiesta la mujer mejoraba.

—¡Pero no te quedes ahí en la puerta! ¡Pasa, mujer! Y ponte cómoda.

Dame el abrigo, lo dejaré en el perchero. Acompáñame a la sala de estar.

—¿Qué te gustaría beber? —Tengo de todo —comentó Marc.

—Me gusta mucho la ginebra con tónica rosa. No sé si tendrás rosa, pero si es tónica normal, ya me va bien —Bindi tenía la garganta seca.

—Sí tengo, precisamente compré esta mañana. Pero nos tomaremos el *gin-tonic* después de cenar. La cena está en la mesa y mejor abriré este vino rosado que acompañará al salmón al *champagne* de maravilla —respondió Marc con un tono más contundente.

Marc no quería perder el tiempo, quería cenar rápido.

Bindi aceptó sin poner ninguna objeción. Durante la cena, Bindi le contó a Marc que sus padres habían fallecido en un accidente de coche hacía unos cinco años, estaba sola y prácticamente no tenía amistades, a excepción de una compañera de trabajo (Caty, la chica rubia que había salido con ella de la residencia).

Estaba pagando un alquiler de una casa, pero siempre le decía a la dueña del piso que se iba a ir en cualquier momento y sin avisar porque el piso daba asco y era pequeñísimo.

Que en el trabajo siempre les decía a sus compañeras que iba a buscar otra cosa y siempre estaba amenazando a la jefa con irse.

—¡Además! ¿Te puedes creer que van diciendo por ahí que maltratamos a los internos de la residencia? ¡Qué sinvergüenzas! ¡Las gracias nos tienen que dar! —espetó Bindi.

—¡Vaya! Eres una chica muy solitaria —dijo Marc—. Si un día desaparecieses, nadie te echaría de menos —puntualizó.

Durante tres eternos segundos se hizo el silencio. Los dos se miraron y empezaron a reír. Bindi con una sonora carcajada, Marc con una sonrisa forzada.

Media hora después terminaron de cenar. A Marc le había parecido terriblemente aburrida la cena. Bindi estaba encantada y confesó que nunca había comido un salmón tan sabroso.

Fueron al comedor y se sentaron junto a la chimenea. La gran cristalera dejaba ver los primeros copos de nieve que caían este año. La estancia era agradable y Bindi se sentía cómoda. Pensó que estaba en un sueño y que había tenido mucha suerte de toparse con un chico así.

Marc se levantó para prepararle el *gin-tonic*. Cogió una copa de balón y le puso tres cubitos de hielo, los removió suavemente contra el cristal para enfriar la copa, añadió cincuenta mililitros de ginebra Puerto de Indias y terminó de llenar la copa con tónica rosa. Le puso una rodaja de lima y, por último, una buena dosis de Benadryl. Lo removió bien y se lo entregó a Bindi.

El Benadryl es un antihistamínico, difenhidramina, una droga sedante e hipnótica que, en dosis realmente altas, provoca alucinaciones, trastornos del ritmo cardíaco, coma e incluso la muerte.

Marc se sirvió un vaso de *whisky* con hielo. Un Macallan Rare Cask Red.

Estuvieron charlando un buen rato hasta que la droga hizo su efecto.

Cuando prácticamente Bindi daba el último trago de su copa, cayó desplomada en el sofá. Marc esperó unos minutos, el tiempo suficiente para poder terminarse el Macallan que se había servido, pensaba que era un desperdicio no beberlo. Tenía tiempo. El último sorbo fue el mejor, con un final cálido y un dulzor particular. Sacó del bolsillo de su americana Armani unos guantes negros de cuero, se los puso mientras miraba el cuerpo inconsciente de Bindi.

La zarandeó un poco para comprobar si estaba lo suficientemente dormida. Bindi no se inmutó.

Con un movimiento enérgico, Marc alzó a la chica y la cargó al hombro; era una mujer pequeña y fácil de manipular. Salió del comedor y atravesó el pasillo para dirigirse al sótano.

Bajó las escaleras con cuidado y, una vez allí, con la mano que llevaba libre, sacó del bolsillo del pantalón una llave; era la llave de «la despensa». Le costaba abrir el candado con una sola mano, así que soltó a Bindi, la dejó caer directamente contra el suelo de cemento pulido. No se despertó.

Ahora sí, entró en la despensa, de nuevo cargó a Bindi y esta vez la dejó con mucho más cuidado en una mesa que había en el centro de la habitación.

Pasaron unos cinco minutos cuando Bindi comenzó a balbucear cosas incoherentes, Marc a duras penas la entendía. Unos minutos más tarde, sus palabras eran más claras.

—¡Muérete, guarra! ¡Frío, frío, pasa frío y hambre! —murmuraba Bindi.

—¡Marc, dónde estás, me he dormido! ¿Me vas a hacer el amor?—

Bindi empezó a recobrar el conocimiento hasta que por fin pudo abrir los ojos. No sabía dónde estaba. Pensaba que era una alucinación.

Vio a Marc con algo entre las manos, era de color marrón y estaba como amasándola; la primera impresión que le dio es que era un excremento de algún animal, quizás de ella misma, o de él. Le dio mucho asco y observó de nuevo. Fue entonces cuando se dio cuenta de lo que era, era un pedazo de arcilla. Bindi no entendía nada.

—¿Qué hago aquí, Marc? ¿Qué ha pasado y qué estás haciendo con eso? —dijo Bindi desconcertada.

—Bindi, no te preocupes, no pasa nada. Tus actos tienen consecuencias a los ojos de Dios. Dios moldea el barro, dándole forma al hombre y luego le da vida. Por esto, la vida vuelve al barro cuando muere —entonó Marc.

—Tranquila, Bindi, Aina no pasará hambre durante una buena temporada, tú le darás de comer.

Bindi, al escuchar las palabras de Marc, se asustó e intentó incorporarse. Estaba atada con unas correas en cada una de sus extremidades y no podía moverse, intentó gritar, pero no tenía fuerzas. El sedante la había dejado muy débil.

—No te esfuerces, Bindi, no te servirá de nada. Esto durará poco para ti, en cambio, en la residencia te lo agradecerán durante bastantes días —señaló Marc.

Marc estaba realmente relajado, inalterable. Se incorporó de la silla y, mirando a Bindi, se acercó a ella.

Cogió a Bindi del cuello y empezó a estrangularla. Bindi se esforzaba en luchar por su vida, pero era inútil. No tenía fuerzas y estaba atada. Intentó gritar, pero no podía.

—Tranquila, Bindi, tranquila —sentenció Marc. Bindi, al cabo de un minuto, dejó de moverse. Marc siguió apretando el cuello de la chica varios minutos más. A veces, se quedan inconscientes pero no fallecen; él quería matarla.

Pasados cuatro minutos, Marc la soltó.

Marc sintió un gozo inmenso, respiró profundamente varias veces, estaba realmente satisfecho con su «acto».

—¡El que detiene el castigo a su hijo aborrece, mas el que lo ama desde temprano lo corrige! —exclamó en voz alta.

Subió al comedor dejando el cadáver de Bindi en la mesa, se dirigió a una sala repleta de estanterías llenas de discos y libros de todos los géneros, en una mesita estaba su preciado tocadiscos Prixton VC400, un tocadiscos sencillo pero que sonaba muy bien, había instalado altavoces por toda la casa y tenía una buena acústica en todas las estancias, incluida la despensa. Se acercó a la estantería y cogió un disco, era *Lo mejor de Johann Sebastian Bach*. Empezó a sonar *La pasión según San Juan*, una obra de gran expresividad y emoción.

Marc volvió a la despensa. En la mesa, gélida como un témpano de hielo, yacía el cuerpo de Bindi.

«La despensa» era una sala bastante amplia, tendría unos veinticinco metros cuadrados. Estaba muy iluminada, en el centro, justo sobre la mesa, había una gran pantalla luminosa, parecía un quirófano. La mesa medía dos metros de largo por un metro de ancho y disponía de un sistema de regulación hidráulico que permitía ponerla a la altura que uno deseaba en cada momento. En una de las paredes había varios paneles de los que colgaban todo tipo de instrumental quirúrgico: pinzas, tijeras, espéculos, martillos, jeringuillas, recipientes, bisturíes, sierras quirúrgicas, etc. También había cuchillos, machetes y bolsas de plástico.

En otra de las paredes aparecían en fila tres arcones congeladores y, en la pared contigua, un horno cerámico y una pequeña mesa de alfarería de madera de pino junto con una mezcladora de carne de grandes dimensiones. Al fondo se veía una gran cristalera que iba de lado a lado de la pared con una puerta central. Los cristales eran opacos y no se podía ver nada del interior.

Marc recogió el puñado de arcilla (el que a Bindi le había parecido un trozo de mierda) y empezó a darle forma. Intentó recrear en el barro la posición en la que había quedado Bindi en el barro y, tras unos apretones, le quedó bastante bien. Encendió el horno y lo introdujo.

Asió el cuchillo de filetear, se lo había comprado en la teletienda una noche de insomnio de las muchas que tenía. Viendo la tele, tuvo una alucinación; el anunciante estaba describiendo las cualidades del cuchillo cuando, en un momento dado, se dirigió a Marc.

—¡Marc, escúchame! Sí, Marc, es a ti que te hablo. —Marc estaba alucinando—. ¡Este cuchillo te va a ir genial para tus «trabajos», tiene un filo perfecto. ¡Corta con una precisión quirúrgica! Y están bien de precio. ¡Pide un set completo, Marc, y corta, corta, corta!

Marc no pudo evitar llamar y pedir el set completo de cuchillos. En una semana, tenía el envío en casa.

El cuchillo de la marca Zwilling, fabricante alemán de cuchillos de alta calidad para uso doméstico y profesional, fundada en 1731, estaba afilado; aun así, Marc cogió la chaira y empezó a darle pasadas al cuchillo, quería que estuviese perfecto.

El sonido del acero le resultaba satisfactorio. Durante unos minutos quedó desnortado con el roce de la chaira con el cuchillo, quizás pensando en lo que venía a continuación.

Empezó a quitarle la ropa, primero los zapatos, después el vestido, observó que su ropa interior, tanto el sujetador como el tanga, iban a juego, pensó irónicamente que Bindi no había tenido el final feliz que ella esperaba.

Necesitaba encontrar una cosa, la tarjeta de visita que le había entregado.

Si Bindi se la había dejado en su casa, Marc tenía un problema muy serio.

Revisó el bolso de Bindi, un set de maquillaje, pañuelos de bolsillo, bolis, gafas de sol, la cartera. Abrió la cartera, tenía tarjetas de todos los supermercados, alguna de crédito y le sorprendió ver una tarjeta de un gimnasio, estaba seguro de que no la había usado nunca, por último, encontró la tarjeta de visita.

—¡Bien, aquí está! —exclamó Marc. ¡No tendré que ir a tu casa a buscarla!

Tocata y fuga en re menor. Es lo que estaba sonando en ese momento y pensó que no podía haber nada más apropiado.

Ahora sí, con todo resuelto, cogió una aguja de punción venosa y con una inserción en vena suave le extrajo tres tubos de sangre.

Posteriormente, los etiquetó con el nombre de Bindi y los colocó en un portatubos.

Tenía un soplete y empezó a pasárselo por toda la piel, quería quitarle todo el vello que le quedaba, se había depilado pero, aun así, tenía bastante vello en los brazos y en su zona íntima. Se lo pasó por la cabeza y rápidamente los cabellos desaparecieron. Al finalizar, tomó el cuchillo, ahora bien afilado. Comenzó por los tobillos, hizo unos cortes precisos alrededor de todo el hueso seccionando los tendones y los ligamentos. En un momento los separó de las piernas y los dejó en una bandeja. Realizó el mismo proceso a la altura de las rodillas y caderas. Iba colocando cada parte del cuerpo en bandejas distintas. Siguió el mismo proceso con las manos, antebrazos y brazos.

Sus cortes eran precisos y delicados, sus clases de anatomía habían resultado muy útiles. Y Marc era un buen alumno.

Le quedaba el tronco y la cabeza. Para esto, practicaba la técnica Virchow, una apertura conjunta del cuello, tórax y abdomen mediante la realización de una incisión única, un corte que se inicia en el borde inferior del mentón rodeando el ombligo hasta la sínfisis del pubis.

Extrajo todas las vísceras y las depositó en una bolsa de plástico, a excepción de la vesícula biliar. La dejó aparte.

Continuó troceando el tronco. Solo le quedó el cráneo. Estaba cansado, pero tenía que terminar el trabajo.

Encendió la mezcladora de carne y fue introduciendo el contenido de cada recipiente con calma y sumo cuidado. Los huesos podían obstruir la mezcladora y no le apetecía llevarla a arreglar y tener que dar explicaciones. Los trozos de cuerpo desmembrados salían en forma de carne picada de la mezcladora e iba haciendo bolsas de cinco kilos aproximadamente. Una vez acabada la carne, fue metiendo las bolsas en los arcones congeladores.

Concierto de Brandeburgo n.° 5 en D mayor. Para finalizar, metió el cráneo en la mezcladora y puso la máquina a máxima potencia. La carne picada empezó a salir. Al igual que hizo antes, cogió una bolsa de plástico y la rellenó. Esta bolsa estaba etiquetada: «Comida para Xispa».

Fue entonces cuando se dirigió a la bandeja donde dejó la vesícula biliar.

La vesícula biliar es una víscera hueca de cinco o seis centímetros de diámetro que contiene unos cincuenta mililitros de bilis, secreción de color verde oliva que interviene en los procesos de digestión.

Extrajo toda la bilis que pudo y la metió en un recipiente de cristal.

Eran las cuatro de la mañana y estaba agotado, necesitaba descansar, pero antes de irse a la cama limpió todo con sumo cuidado y detalle. Comenzó por la mezcladora, quitando todos los restos de carne y sangre que habían quedado acumulados, después limpió la mesa y los utensilios utilizados y los dejó en su sitio correspondiente. Al acabar, hizo uso de la manguera y le dio agua a todo el suelo. La mezcla de agua y sangre se desbordaba por el sumidero que tenía en el centro justo debajo de la mesa. Suficiente.

Observó desde la puerta de «la despensa» lo limpio y ordenado que había quedado todo.

—Aquí no ha pasado nada —pensó Marc.

—¡Ay, Bindi! ¿Qué podías perder viniendo a cenar? —Ahora sí que le hizo gracia y soltó una risa malvada.

Marc se fue al baño y se dio una rápida ducha antes de irse a la cama.

Xispa dio un gran salto sobre la cama, era un perro muy ágil a pesar de su tamaño. Marc sintió el peso del perro y la cara empapada de babas a causa de los lametones que Xispa le estaba dando. Eran las ocho de la mañana y el día se presentaba soleado aunque bastante frío. Marc no necesitaba despertador. Se había acostumbrado a despertarse con los brincos de Xispa en la cama, pero en lugar de sentarle mal, Marc se lo agradecía y le resultaba tremendamente gracioso.

—¡Buenos días, Xispa! —saludó Marc al can—. ¡Dime hola! ¡Venga, dime hola y te doy una chuche! ¡Hoy tengo muchas chuches para ti!

Marc llegó a creer realmente que su perro le saludaba cada mañana.

Lo que hacía Xispa era dar unos buenos bostezos mañaneros y el sonido que emitía, Marc lo identificaba en su cabeza como un hola.

Se puso ropa cómoda y bajó a la cocina para prepararse el desayuno, café con leche de avena, tostada con tomate y aguacate, y para Xispa una bolita de carne que sacó de una bolsa de plástico que tenía en la nevera.

No se demoró mucho con el desayuno, tenía prisa por bajar a «la despensa», así que se tomó rápidamente el café y la tostada y se dirigió al sótano. Una vez allí, abrió el candado de la puerta galvanizada y se dirigió al horno cerámico. Lo abrió lentamente, como quien abre un cofre esperando encontrar un tesoro y admirarlo.

Allí estaba la figurita de barro cocida convertida en cerámica.

Había quedado muy bien, sin ninguna grieta ni poro aparente.

Marc sacó la figurita, la miró detalladamente e hizo un gesto de aprobación.

Fue entonces cuando cogió los botes de cristal que había separado la noche anterior. Los tres de sangre y el recipiente de bilis, y con la figura en la mano, subió a la primera planta de la casa.

En el ala izquierda de la casa tenía su taller de pintura, una amplia habitación con grandes ventanas que permitían entrar la luz natural. Había numerosos cuadros por todo el aposento, botes de pintura, acuarelas, témperas, óleos, paletas y pinceles de todo tipo.

Se sentó en el banco de trabajo y sumergió la figurita de barro en un cubo con pintura blanca. No la sumergió totalmente, la tenía sujeta por la parte de atrás donde aparecía un silbato. Ese trozo lo dejó sin pintar.

Posteriormente, una vez seca la pintura blanca, cogió un pincel fino y lo mojó en el recipiente verde de la bilis. Realizó líneas cortas y dispersas en la figura ahora blanca, para concluir, tomó con la otra mano otro pincel y lo mojó en los botes rojos de sangre. Hizo exactamente igual que con la pintura verde y tras pintar varias rayas rojas, le pareció que había quedado perfecto.

Lo dejó secar durante una hora aproximadamente.

Durante ese periodo de tiempo aprovechó para llamar a varios lugares.

La primera llamada fue a un conocido que trabajaba para el centro de recogida de alimentos como chófer de un camión refrigerado.

—¡Hola, Gerald, cómo te va la vida! Supongo que sobre ruedas—. Sonrió Marc.

—Hola Marc, no ha pasado mucho tiempo desde tu última llamada. ¿Tienes algo para mí?—respondió Gerald.

—Sí, Gerald, tengo bastante mercancía, pero tienes que dejarla directamente donde te diga. Ya sabes, esto es un trabajo extra y te pagaré bien, como siempre. Mi tía alemana, la que tiene la carnicería, no para de mandarme carne y cada vez me sobra más. Me he enterado de que hay una residencia donde están tratando mal a los pobres ancianos. Quisiera que les entregaras toda la carne que tengo a ellos. La residencia es la Relax Atio, está en la calle Misión, es muy conocida, pero necesito que vayas esta tarde. Tranquilo, estarán avisados de la entrega. Tú trae las cajas isotérmicas —sentenció Marc.

—Ok, Marc, esta tarde a las cinco puedo estar en tu casa, no hay problema. Siempre se agradece tu generosidad —concluyó Gerald.

La segunda llamada fue a la residencia.

—Residencia Relax Atio, ¿en qué le puedo ayudar? —preguntó una mujer desde el otro lado del teléfono.

—Buenas, quería decirles que esta tarde, sobre las seis, recibirán una entrega generosa. Espero que la recojan de buen agrado y recuperen la tranquilidad y el buen hacer en la residencia —dijo Marc.

—¿Pero usted qui…? Antes de que pudiera terminar la pregunta, Marc había colgado el teléfono.

Se había hecho tarde, había acabado el almuerzo y recogió la cocina.

Metió la figurilla de barro con sumo cuidado en una caja de cartón repleta de plástico de burbuja, después fue al dormitorio y en la misma caja introdujo la cinta de video que grabó en la residencia y la cerró con cinta americana.

Esperó a que llegara Gerald. Llegó puntual, era una cualidad que a Marc le gustaba mucho de la gente.

—¡Hola, Gerald, puntual como siempre! Pongamos la mercancía en las cajas isotérmicas que ya te están esperando en la residencia —apuntó Marc. Gerald no le preguntó nada. Se dedicó a hacer exclusivamente lo que Marc le había pedido y una vez cargada la carne, cerró el portón del camión y se dirigió a la residencia.

Efectivamente, varios empleados estaban esperando en la zona de descarga de mercancía, vieron llegar al camión refrigerado y abrieron la valla que impedía la entrada. El camión entró haciendo marcha atrás hasta una zona cercana a las cámaras frigoríficas y allí descargaron las cajas.

Los empleados agradecieron la entrega a Gerald y uno de ellos se dirigió a él.

—¡Perdona! ¿Me puedes decir quién nos entrega esto? —preguntó.

—¡Un buen hombre! —respondió Gerald. Y sin más comentarios, se metió en el camión y se marchó. Uno de los empleados, al entrar la última caja, se percató de que llevaba una carta pegada con cinta adhesiva. Abrió la carta:

Dios asiste a aquellos que son pobres y sufren de necesidad, a aquellos que no tienen quién los socorra.

Come, Aina, come todo lo que no has podido comer hasta ahora, ahora tienes alimento para bastante tiempo y nadie te molestará.

El empleado no entendía nada, guardó la carta y la llevó a dirección.

El director, un hombre de edad avanzada, no le dio mucha importancia y la dejó en un cajón de su escritorio.

La residencia tuvo carne durante las siguientes tres semanas. Se realizaron diferentes platos, desde canelones hasta estofados. Un día llegó a los oídos de Marc que uno de los ancianos comentó que la carne le sabía un poco a especias, algo así como a curry.

«¡Vaya, no va mal encaminado el anciano!», pensó Marc.

Una caja de cartón, sin remitente, sin sello, sin marcas. Únicamente estaba escrito en ella con letras rojas:

PARA MARÍA, DE LA POLICÍA CIENTÍFICA.

María, la subinspectora de la policía científica, entró en el despacho. La habían avisado por teléfono horas antes de que había llegado a la comisaría un paquete sin identificación. Ahora la caja estaba encima de su mesa y estaba siendo analizada por los agentes del TEDAX (técnicos especialistas en desactivación de artefactos explosivos). Los agentes comprobaron el cubo misterioso y aseguraron el lugar, no contenía explosivos y la abrieron sin ningún inconveniente. Dentro había varias cosas:

Una cinta de videocámara, un *siurell* y una nota. La nota decía así:

> *María, nadie indefenso merece ser tratado así, se os llena la boca*
> *de ser los guardianes del pueblo, los protectores de la paz y permitís*
> *que sucedan estas cosas. En verdad os digo que Dios otorgó el libre*

*albedrío al hombre, pero también me dio el poder de justicia, porque
la cólera de Dios se revela contra toda impiedad.*

El *siurell* también tenía un pequeño escrito en la base:

Silba, tú también silbarás.

—¡Otra vez el *siurell!* —dijo María visiblemente enojada.

—¡Llevaos todo al laboratorio, a ver qué encontráis! ¡Quiero
huellas, quiero saber con qué ha escrito todo esto, el papel que ha
usado, quiero saber lo que hay en la cinta, dónde se ha grabado, la
pintura de este *siurell,* todo, quiero saber qué significa todo esto
y, sobre todo, quién lo ha enviado! ¡Y lo quiero ya! —exclamó
la subinspectora.

El laboratorio no tardó en sacar los primeros resultados; a
la mañana siguiente estaba el desglose de las investigaciones en
la mesa de María. No se encontró ninguna huella dactilar, ni en
la nota escrita ni en la figura, ni siquiera una parcial. La pintura
verde del *siurell* contenía colesterol, ácidos grasos, lecitina, agua,
bilirrubina y sales biliares, es decir, en definitiva, bilis. La pintura
roja era sangre.

María descolgó el teléfono para realizar una llamada.

—¡Buenos días, Mati! Ya he visto los resultados y sospecho
que las pinturas son de origen humano.

¿Qué hay en la cinta de video? Dime que es una película de
Disney, por favor —ironizó María de forma abrumada.

Mati Fontano era oficial de policía, un joven argentino
de veintiocho años que había conseguido el puesto siendo el
primero de la promoción y eligió Mallorca como destino. No

llevaba mucho tiempo en el departamento y ya había resuelto varios casos serios.

—¡Buenos días, María! Pues respecto a la cinta es mejor que vengas a verla por ti misma. Estoy en el despacho con el intendente y ahora te íbamos a llamar. No son muy agradables, ya te aviso de antemano—. Mati colgó el teléfono.

La subinspectora entró en el despacho, la estaban esperando y así como entró, pulsaron el *play* de la videocámara.

Las imágenes eran claras, se veía a una mujer golpeando violentamente y amenazando a una anciana postrada en una cama. Fueron dos minutos nada más. La cinta acababa ahí.

—¡Ahora tiene sentido la nota! Averiguad dónde se ha grabado esto, el lugar y quiénes son estas personas—. Exclamó María.

— ¡Ya lo hemos hecho!— apuntó Mati. Es la Residencia Relax Atio y en cuanto pueda iré a interrogar al director del centro y a varios ancianos, a ver qué me pueden decir.

En la residencia explicaron a Mati que la auxiliar de geriatría que aparecía en el video era Bindi y que llevaba unos días sin ir a trabajar. No les había extrañado la ausencia porque siempre decía que dejaría cualquier día el trabajo y además la estaban acusando varios familiares de maltrato. Aina, la pobre anciana de la habitación 123, poco les dijo, simplemente que se sentía muy feliz desde que Bindi había «desaparecido».

—¿Han notado algo extraño estos días? ¿Han visto a alguien que no perteneciera a la residencia por aquí? ¿Han recibido algo fuera de lo común últimamente? —preguntó Mati al director.

—Pues ahora que lo pregunta, nos trajeron una gran cantidad de carne congelada que hemos usado en la cocina para alimentar a los ancianos y nos dejaron una carta. —El director abrió el cajón del escritorio y le entregó el papel—. No le di importancia, pero viendo lo sucedido quizá sí la tenga. Si no tiene más preguntas, por favor déjeme seguir trabajando, que lo que menos quiero son policías por aquí —concluyó el viejo director del recinto.

—No se preocupe, me ha sido de gran ayuda, no le molestaré más, pero una última cosa. Necesito una muestra de esa carne —dijo Mati.

—Vaya a la cocina que le den un trozo, si queda algo, hoy han hecho unas empanadas riquísimas. —Mati bajó a la cocina y pidió un trozo de esa carne que llegó en cajas isotérmicas. Por suerte, aún quedaban varias y uno de los cocineros le entregó un táper con un trozo del tamaño de una albóndiga.

Les agradeció la ayuda y sin más demora volvió a las dependencias, entregó el táper al laboratorio y les pidió que lo analizaran a la mayor brevedad posible.

Al día siguiente tenía los resultados encima de la mesa.

Era carne humana.

Mati sintió un escalofrío por todo el cuerpo, se esperaba el resultado, pero aun así le estremeció, ¿qué mente tan perversa podía cometer ese acto?

Se dirigió al despacho de la subinspectora María. La puerta estaba cerrada y llamó antes de entrar.

—Adelante —dijo María con voz seria.

—Buenas, María. Se donó a la residencia una carne congelada que corresponde a carne humana.

Podemos suponer que es Bindi, pero tenemos que compararlo con su ADN. No contesta al teléfono ni al portero de su casa y estamos esperando la orden judicial para poder entrar. Aparte, tenemos esta nota que le entregaron al director del centro.

María leyó la nota.

—Evidentemente, no encontraremos huellas aquí, no perdamos tiempo. El que haya cometido este atroz asesinato tiene delirios de grandeza y se cree que puede hacer la justicia por su cuenta. Entremos en el hogar de Bindi, a ver qué hallamos. Necesitamos comparar el ADN con algún pelo, piel o uña que podamos encontrar —sentenció María.

Los agentes llegaron a la casa de Bindi, tocaron a la puerta. Nadie contestó. Forzaron la puerta y entraron varios agentes armados. Tenía todas las ventanas cerradas y estaba en penumbra. Había un olor desagradable y un silencio total.

Pasaron a la cocina, había comida en proceso de putrefacción por encima de la encimera de granito y el fregadero estaba repleto de platos y cubiertos sucios.

Llegaron al baño, no había nadie. La puerta de la habitación principal estaba entreabierta, se escuchaba a un volumen muy bajo el Réquiem de Mozart. Se dispusieron a entrar con las armas de fuego apuntando en dirección al dormitorio.

A la señal de tres, abrieron la puerta.

Un hedor envolvía todo el ambiente, la estancia estaba a oscuras y únicamente una lámpara proyectaba una luz directa hacia la cama que estaba en el centro del cuarto.

En la cama, un cuerpo partido en dos de arriba a abajo aparecía empapado de sangre, se había seccionado con una sierra de carnicero, comenzando desde el cráneo hasta la zona íntima. En la mano izquierda, una nota: «Calla y peca». En la otra mano, otra nota: «Confiesa y alcanza la misericordia».

La imagen era dantesca, el cuerpo correspondía a una mujer rubia, aunque con tanta sangre era difícil ver el color de su pelo, estaba muy delgada y tenía la piel blanca como la nieve.

Era Caty, la amiga de Bindi.

En la pared blanca del dormitorio, con letras pintadas con sangre de un rojo intenso, una inscripción:

EL QUE ENCUBRE LOS PECADOS DEL PRÓJIMO NO PROSPERARÁ

En el suelo, un *siurell* partido por la mitad.

Las investigaciones prosiguieron, comprobaron el ADN y la carne correspondía a Bindi Babar, no se encontraron huellas dactilares que no fuesen las de Bindi o Caty, las dos chicas de la casa.

Intentaron localizar al camionero que había dejado la carne en la residencia, pero no había registro de la matrícula del vehículo y tampoco había cámaras de vigilancia para poder realizar más averiguaciones.

La frustración en el departamento de la policía era más que evidente.

II

El despertar

Marc Metzger Sastre nació el 14 de noviembre de 1974, un día de intensas nevadas en la pequeña ciudad alemana de Schiltach, perteneciente al distrito de Rottweil, en el estado de Baden-Wurtemberg.

Tiene una superficie de 34 kilómetros cuadrados y su población no alcanzaba los dos mil habitantes ese año.

La ciudad de Schiltach tiene un especial carácter romántico debido a sus casas históricas de madera con un encanto único.

Ubicada en el alto valle del Kinzig, en la Selva Negra, resulta idónea para los amantes del deporte y las aventuras.

El ayuntamiento, en la plaza del mercado, es el edificio que más llama la atención. Lo más bonito de la fachada son sus pinturas murales que representan escenas de la historia y la cultura local. Podemos ver «al diablo y la bruja», que fueron los encargados, según cuenta la leyenda, de quemar el pueblo en 1791. Un grave incendio destruyó la ciudad y los habitantes se encargaron de reconstruirla y conservar el aspecto medieval original.

La iglesia de estilo neobizantino, que fue construida entre 1833 y 1843 con piedra roja anaranjada, es un lugar donde los fieles se reúnen los domingos y mantienen esa arraigada tradición evangélica.

Schiltach destaca especialmente por su gran cantidad de empresas industriales y artesanales de todos los sectores.

Desde pintores, carpinteros, alfareros, constructores de órganos musicales, etc. Entre esas empresas estaba la carnicería del padre de Marc, Emil. La carnicería llevaba abierta siete años y era muy popular en la localidad.

La gran calidad de las carnes de vacuno y caza que vendía Emil había provocado que la carnicería alcanzara una fama importantísima, incluso fuera de los límites de la ciudad.

No tardó mucho tiempo en abrir varias franquicias por Europa, la primera en Francia, en la ciudad de Lyon, con gran éxito, y la segunda en Berna, Suiza. El negocio prosperaba y rápidamente llegó a alcanzar la cantidad de doce franquicias repartidas por todo el continente.

Emil Metzger ya demostraba de joven su visión a la hora de montar negocios. Con cinco años vendía limonada con hielo en la calle a los turistas que visitaban en verano la localidad. Pronto empezó con el negocio de la carne; con diez años salía al bosque rumbo a St. Georgen a cazar pequeños mamíferos (gamuzas, ánades reales, urogallos...) para después, en casa, despellejarlos y venderlos en la plaza del mercado.

Con la venta de carne veía un gran negocio de futuro y pronto se pasó a la caza mayor: jabalíes, ciervos e incluso bisontes.

A la edad de dieciocho años inauguró su primera granja y, a trescientos metros de distancia, abrió la primera carnicería, Carnicería Emil.

La tienda funcionaba como un tiro y Emil, a medida que crecía en fama, también crecía en poder económico de una forma exponencial.

Aun así, Emil seguía siendo un hombre de pueblo, un lugareño más, y participaba en las reuniones de la iglesia y en el mercado de los domingos. En la plaza, montaba su puesto de carne y se relacionaba con su gente. Era una forma de no perder el contacto con sus raíces.

Fue allí donde conoció a la que sería su futura mujer y madre de Marc, Antonia, una joven mallorquina de rostro perfecto, con el pelo moreno y rizado y la piel blanca casi luminosa. A Emil le pareció ver un ángel celestial.

Antonia Sastre era una joven costurera que había visitado hacía tres meses la ciudad de Schiltach. Se enamoró a primera vista de la ciudad, de su encanto, y pensó que quedarse un poco más de tiempo e intentar vender prendas cosidas por sus manos a la gente del lugar era una buena idea.

Emil no tardó en entablar conversación con la joven. Antonia había estudiado alemán en Mallorca y, aunque no lo dominaba con soltura, su forma de comunicarse resultaba de lo más graciosa.

Pronto empezaron a verse más a menudo, Emil le enseñaba a hablar alemán a Antonia y Antonia le enseñaba castellano a Emil mientras paseaban por los senderos de la Selva Negra.

Se casaron el treinta de agosto de 1973 en la iglesia del pueblo. Fue una boda muy concurrida y en el banquete no faltó de nada. La reputación de Emil iba en aumento.

Un año y tres meses después nació Marc.

Marc era un niño muy activo, siempre mostraba interés por ayudar a la gente y aprender de todo. Pese a su corta edad, tenía inquietudes propias de un adulto.

Cada día, a la salida del colegio, en vez de regresar a casa, iba a la carnicería de su padre a ayudarle a cortar chuletones, bistecs, lomo… Su padre le explicaba cómo debía hacerlo y se le daba realmente bien.

Otras veces se acercaba hasta la alfarería y los trabajadores le enseñaban a hacer vasijas, tazas, platos e incluso figuras con arcilla.

En ocasiones, salía corriendo valle abajo hasta llegar a la empresa de órganos, donde los chicos del taller le permitían tocar varias piezas; eso les ayudaba para poder afinarlos después.

Era un niño autodidacta, emprendedor y con unas capacidades de memoria extraordinarias. Muchos habitantes, incluidos sus padres, pensaban que era un niño superdotado.

Cada domingo acompañaba a sus padres a la iglesia, le fascinaba la oración y todo lo relacionado con la religión. Cada noche, antes de meterse en la cama, rezaba durante quince minutos.

A medida que la empresa de su padre prosperaba, Marc se hacía mayor y sus ganas de conocimiento crecían con él.

Pasaba largas tardes en los prados verdes junto a los pintores de la ciudad que iban a plasmar la naturaleza en los lienzos. Y con la pintura encontró su verdadera vocación. Quería saber de todo, pero la pintura y la música le generaban tanta estimulación que tenía claro que quería dedicarse profesionalmente a ello.

También tenía tiempo para hacer travesuras propias de su edad.

Un día, recorriendo los senderos de la selva junto a varios amigos, se pararon a la orilla de un estanque cerca del lago Mummelsee.

Encontraron gran cantidad de ranas y empezaron a lanzárselas el uno al otro. Los amigos se las lanzaban para poder cogerlas, él las tiraba con tal fuerza que, cuando llegaba a las manos de los amigos, explotaban. Uno de sus mejores amigos era Amari Moyo, nombre neutro de origen africano de la zona de Zimbabue. Sus padres habían conseguido salir del país pagando altas sumas de dinero a intermediarios fronterizos. Al llegar al pueblo alemán, Amari tenía seis años de edad, los mismos que Marc, y desde que llegó congeniaron desde el primer momento en que se vieron.

En el colegio se metían mucho con él y era objeto de *bullying* debido a su color de piel, sus característicos ojos saltones y su extremada delgadez. Amari tenía un tic nervioso, un movimiento involuntario de la cabeza hacia el lado derecho, sobre todo eran más evidentes cuando se ponía nervioso o en momentos de estrés. Los alumnos le habían puesto el mote de Chocolatito o Regaliz con Ojos.

Marc se había peleado varias veces con otros niños defendiendo a Amari y en multitud de ocasiones los profesores les habían castigado sin recreo. Un día, al salir del colegio, cuatro niños estaban esperando en la esquina a que Marc y Amari aparecieran. Era habitual que, al salir de clase, se dirigieran a las arboladas de la selva para pasear, jugar con los animales o bañarse en el lago si el tiempo lo permitía.

Marc comenzó a juguetear con una rana y se la lanzó a Amari, que estaba anonadado mirando una colonia de hormigas en el suelo. La agarró de puro milagro antes de que le golpease en el pecho. Lo que Amari no pudo esquivar fue la piedra que le lanzó uno de los niños que les habían seguido desde el colegio.

Marc salió corriendo hacia ellos y pudo atrapar al más mayor y pesado de los cuatro, Paul Klein. Paul había repetido curso dos veces, era el chico de más edad y le sacaba una cabeza de altura a cualquier chico de la escuela. También estaba bastante rellenito, por desgracia para él, correr no era una de sus mejores habilidades.

Marc le dio un fuerte empujón lanzándolo a un pequeño barranco de apenas dos metros. Aun así, el golpe contra el suelo fue tan brusco que cuatro de sus costillas se fracturaron. Marc estaba enfurecido, sudaba muchísimo, le faltaba el aire, metió la mano en el bolsillo donde llevaba una navaja pequeña, pero se lo pensó mejor.

—No me vas a joder la vida, Paul, no por esto.

Marc se arrodilló junto a Paul, que estaba inmóvil, llorando de dolor, con cada respiración las costillas se le clavaban más en los pulmones.

—Paul Klein, se te van a quitar las ganas de meterte con mi amigo.

Marc cogió una piedra del suelo, con fuerza controlada le asestó dos golpes en la frente. La sangre empezó a brotar de la cabeza de Paul.

A Amari, la piedra le había golpeado la oreja y el pómulo derecho. Sangraba en abundancia y tenía la camiseta empapada de un color rojo intenso.

Marc ayudó a su amigo a incorporarse y se fueron a casa. Antonia le curó la herida, pensó que tendrían que ponerle varios puntos de sutura, pero Amari se negó a ir al hospital. En ningún momento dijeron que había sido una pedrada de un niño del colegio. No querían más problemas.

—¡Vaya caída más tonta!—comentó Amari con su acento africano.

—De verdad, eres más torpe que un elefante bailando ballet.

Antonia y los dos niños rieron a carcajadas.

Para Marc, Amari era el hermano que nunca tuvo, para Antonia, un hijo más.

A Paul tuvieron que ingresarlo en el hospital en estado grave, con múltiples fracturas en costillas, fémur y húmero. Los médicos dijeron que un golpe un poco más fuerte en la frente le hubiese dejado en coma o causado la muerte.

Nadie supo nada de la pelea. Los amigos de Paul también dijeron que se cayó accidentalmente. Él nunca cambió la versión de los hechos.

Con trece años, Marc comenzó a realizar clases de piano.

Emil le compró el piano, con la intención de que estuviese más tiempo en casa con su madre.

Antonia pasaba mucho tiempo sola en casa entre el trabajo de su marido y las aventuras de su hijo. La relación entre los padres de Marc empezaba a tambalearse.

Frecuentemente, Marc escuchaba desde su habitación fuertes discusiones entre sus padres, debido a la ausencia de Emil en casa.

—¡Entiendo que tengas que trabajar, pero no ves a Marc, llegas tardísimo a casa y cuando vienes, el niño ya está durmiendo! ¡Yo también necesito que pases más tiempo aquí!—le reprochaba Antonia.

—¡Desagradecida! ¿Cuántas mujeres quisieran estar en tu lugar? Estar en casa sin preocupaciones, cuidando de su hijo, sin nada más que hacer. ¡Ni cuidar del niño sabes! ¡Mala madre!—gritaba Emil.

Otras veces Marc, aparte de gritos, también escuchaba golpes.

Muchas mañanas, a la hora del desayuno, Marc encontraba a su madre sollozando con moratones en los pómulos y ojos.

Ella siempre le decía que se lo había hecho limpiando, golpeándose con los muebles de la casa o, en ocasiones, había sufrido alguna caída accidental. Pero Marc no era tonto.

—¡Mamá! No quiero que papá te pegue más. Os oigo pelearos cada noche desde la habitación—comentaba Marc.

—Hijo, no lo entenderías, tu padre quiere lo mejor para nosotros. Trabaja mucho y llega muy cansado. Tú continúa con tus dibujos, tu pasión por aprender y tu música, que todavía eres muy joven para preocuparte por estos asuntos. Tu padre es un buen hombre de Dios—respondió Antonia apenada.

Marc, a la edad de quince años, era un excelente carnicero, cortaba la carne con una sutileza a la altura de su padre. Emil estaba pensando seriamente dejarle a cargo de la carnicería, pero Marc no estaba dispuesto a sacrificarse de ese modo y abandonar todo el potencial que tenía con las bellas artes. El padre se lo dio a entender, pero enseguida pudo notar la negativa del joven por continuar en el negocio.

—Marc, piénsatelo, es pronto, tienes un futuro asombroso, eres inteligente con los negocios y serías un magnífico carnicero. La empresa es fuerte, estamos ganando mucho dinero—comentó el padre.

En todo eso tenía razón, pero Marc tenía otras aspiraciones y otras metas muy distintas, alejadas de los cuchillos.

Esa misma semana, Emil celebraba su trigésimo quinto cumpleaños en el jardín de casa. Había organizado una pequeña fiesta, en *petit comité,* ya que no le gustaban los grandes eventos, pues era un tipo algo reservado.

Vinieron varios familiares y algún que otro amigo. Había comida y cerveza en abundancia. Emil, en un momento de entusiasmo, le dio una cerveza a Marc para que la probase, pero Antonia se la quitó rápidamente de las manos.

—Lo que menos quiero en este mundo es que te parezcas a tu padre—le dijo Antonia a su hijo, visiblemente enojada.

Este hecho pasó inadvertido para la mayoría, pero posteriormente sería la causa de otro enfrentamiento entre la pareja.

Marc le entregó una pulsera a su padre.

—Papá, este es mi regalo. Para que la lleves siempre contigo y te acuerdes de mí.

Era una pulsera de eslabones grandes de acero, con eslabones de color inox y eslabones de color negro intercalados. Era ancha y pesada.

Emil nunca había visto una igual y le pareció preciosa.

Padre e hijo se fundieron en un abrazo.

—Gracias hijo, me gusta mucho, pero nunca me olvidaría de ti aunque no llevase la pulsera—

Marc le pidió a su padre si podía tener un profesor de piano que le diera clases particulares a diario, y a Emil le pareció muy buena idea. Así pasaría más tiempo en casa y su madre no se sentiría tan sola.

Emil contrató para las clases de su hijo a Dietrich Haus.

Dietrich era un gran pianista, con una gran reputación. Cursó los estudios de música en la universidad de Bremen y pronto destacó en los conciertos con la orquesta de Berlín.

Era un hombre alto y apuesto, de cuarenta y siete años, que se conservaba muy bien pese a rondar casi el medio siglo de vida. Era elegante y educado.

Conducía un BMW 735 de 220 CV de color azul metálico con cambio automático y asientos de cuero, un coche de lujo al alcance de muy pocos en esa época.

Cada tarde, de cinco a seis, tenían las clases de piano, y era raro el día en que no se hacían las seis y media o siete. Emil, el padre, solía llegar de la carnicería a las ocho y media y nunca llegaba a coincidir con el músico. Dietrich estaba embobado con el potencial que tenía Marc y con lo rápido que aprendía cualquier cosa que le indicaba. Marc admiraba al profesor, su destreza con las manos, su pulcritud al tocar el piano y su delicadeza. Daba la sensación de que acariciaba un cuerpo en lugar de tocar un instrumento.

No tardaron mucho en hacerse buenos amigos, y cada vez Dietrich pasaba más tiempo en casa de Marc.

La relación de la madre de Marc y Dietrich era muy respetuosa. Antonia se iba a su taller de costura mientras el profesor impartía las clases, y únicamente se veían a la hora de la llegada, en el momento de irse y a la hora de pagarle. Las clases eran caras, pero Emil se las podía permitir.

A la madre de Marc, que viniera Dietrich, le reconfortaba, le hacía sentir segura, y poco a poco la relación pasó a ser más cordial.

—¡Buenas, señor Haus! No quiero molestar, pero me preguntaba si le apetecería tomar un café —preguntó Antonia.

—Me encantaría. Deme unos minutos, que le explique a Marc un par de acordes, y me tomo ese café. Y, por favor, llámeme Dietrich.

El profesor le estaba enseñando a Marc a tocar *Canon en Re mayor,* de Pachelbel, una pieza relativamente simple sin aumentos ni disminuciones de ritmo.

Con el paso del tiempo, la madre de Marc y Dietrich fueron congeniando más. El profesor ya no se tomaba el café frente al piano junto a Marc mientras le daba clases. Se lo bebía en la cocina con Antonia y charlaban de sus vidas; en la sala de al lado, Marc ensayaba Pachelbel.

El pianista le contaba que estaba aburrido por la cantidad de kilómetros que tenía que recorrer en cada viaje un músico de su reputación, la cantidad de países que había visitado y finalmente lo solo que se sentía debido a esa vida de nómada que le impedía formar una familia.

—No me lo puedo creer, un hombre tan interesante como tú, tan elegante y caballeroso, inteligente y famoso ¿y no tienes mujer?

—Increíble, me parece mentira. Cualquier mujer caería rendida a tus pies. A ver, no me entiendas mal. Si yo estuviera soltera y la diferencia de edad no fuese tanta... serías un hombre en el que me fijaría —comentó con cierto rubor Antonia.

—Hay muchas maneras de sentirse sola, yo estoy casada con un hombre que no veo nunca, que se pasa el día entero trabajando y cuando llega a casa, llega borracho. Estoy a mil cuatrocientos kilómetros de mi ciudad natal, Mallorca, encerrada en estas cuatro paredes. Hace tiempo que no voy a la ciudad ni me relaciono con nadie, he dejado de lado mi pasión, que es la costura, y a cambio solo recibo reproches y gritos.

—Eres una mujer muy valiente, no dejes de lado tus sueños y si quieres algo, persíguelo hasta conseguirlo. Además eres guapísima. Emil no sabe apreciar lo mucho que vales.

Antonia agachó la cabeza, tenía los ojos llorosos y no pudo detener una lágrima que se deslizó por su mejilla. Dietrich le puso la mano en la barbilla y le alzó la cabeza.

—No llores, aún estás a tiempo de redirigir tu vida. Yo te podría hacer muy feliz —susurró Dietrich.

El músico le dio un beso en la boca, corto pero muy tierno.

—Perdóname, por favor. Creo que me he confundido —comentó ruborizado.

Antonia, lejos de alarmarse, le devolvió el beso, esta vez mucho más intenso y pasional. De fondo se escuchaba el piano que seguía tocando Marc. Hacía mucho tiempo que Antonia no se sentía amada y, aunque sabía que estaba cometiendo un grave error, no podía evitar sentir ese deseo que creía que había desaparecido en su interior.

Las visitas de Dietrich continuaron. Marc se estaba convirtiendo en un gran pianista y la relación entre el músico y la madre de Marc, lejos de enfriarse, se iba intensificando.

Era un día caluroso, a mediados de agosto. Antonia se había levantado como cada mañana a las siete para preparar el desayuno a su marido y a su hijo. Siempre les tenía la mesa preparada para cuando ellos se levantaban. Beicon a la plancha, huevos, alubias, tostadas con mantequilla y tomate, y café con leche de avena. Un desayuno contundente para poder sobrellevar el largo día de trabajo de Emil.

También le preparaba el almuerzo, ya que rara vez Emil volvía a casa a la hora de comer. La carnicería no quedaba lejos de casa, estaba a unos cinco kilómetros aproximadamente, pero Emil se había acostumbrado a este hábito, algo que también era un tema de discusión entre la pareja. Emil y Marc bajaron a desayunar y se sentaron en la mesa.

—¿Qué tal, Marc? ¿Cómo van las clases de piano? Espero que te estén yendo de fábula porque me están costando un pastizal. Tendría que hablar con este tal Dietrich y tratar el tema. Tu madre no me comenta nada al respecto y es algo que, sinceramente, me parece extraño. ¡Joder, este hombre pasa más tiempo en casa que yo!— comentó Emil mientras se ponía el azúcar en el café.

—Papá, Dietrich es un excelente profesor, es muy amable y me explica las cosas muy bien. Tiene mucha paciencia conmigo, aunque tengo que decir que yo, como alumno, soy un crac. —Sonrió Marc.

—Además, se parece mucho a ti, es alto, fuerte y ¡tiene un cochazo!— concluyó Marc dándole el último bocado a la tostada.

—Vaya, si no fuese porque tu madre me quiere tanto, me pondría celoso— soltó unas carcajadas. Emil terminó de desayunar y se fue, como cada mañana, a la carnicería. Marc cogió una mochila que le había preparado la madre con varios bocadillos y una botella de agua y también salió de casa. Había quedado con un par de amigos para visitar la fábrica de losas y después ir a ver a varios pintores cerca del río. Después seguramente se irían a cazar musarañas por el campo y a hacer alguna gamberrada que otra.

Había pasado una hora cuando el BMW azul aparcó frente a la casa de Marc.

—Buenos días, Dietrich, ¿qué haces aquí? Hoy no toca clase de piano, quedamos en que hoy era día de descanso. Marc no está en casa, ha salido con los amigos y no creo que vuelva hasta bien entrada la tarde —comentó sorprendida.

—No he venido a dar clases a Marc, la verdad es que he venido a verte. Llevamos, ¿cuánto? ¿Tres meses viéndonos a escondidas un rato mientras Marc toca el piano en la sala de al lado? No puedo con esta situación, Antonia. Quiero verte más, estar más tiempo contigo, poder pasear juntos por la calle sin tener que estar escondiéndonos. Deja de vivir esta triste vida.

Podrás rehacer tu hobby, conozco modistas en Milán, en París. Vente conmigo y llevemos a Marc con nosotros. Es un niño maravilloso y le espera un gran futuro.

Estoy empezando a sentir cosas por ti, Antonia. TE QUIERO.

Los dos se fundieron en un fuerte abrazo y rompieron a llorar. Se besaron apasionadamente en el recibidor durante un buen rato. Antonia sentía cómo se le endurecían los pechos y notaba un intenso calor en su zona íntima. También notó el miembro viril de Dietrich y un escalofrío que le recorría todo el cuerpo.

Antonia no podía resistirse, la pasión y el deseo que sentía superaban a la razón. Subieron al dormitorio, Dietrich la puso de espaldas y empezó a desabrocharle los botones del vestido.

—¡Tienes un cuerpo precioso!— susurró el músico.

Prosiguió con el sujetador y le dio media vuelta. Empezó a besarle el cuello y bajó hasta los pechos. Antonia estaba muy excitada y por un instante pensó cuándo había sido la última vez que se había sentido así. No lo recordaba.

Ella le desabrochó el cinturón y los botones del pantalón. Estos cayeron al suelo. Le agarró el miembro, erecto, se agachó y empezó a besarlo. Sus actos tenían una mezcla de deseo salvaje y pasión.

Se tumbaron en la cama de matrimonio e hicieron el amor durante más de media hora. Antonia volvía a sentirse viva.

—¡Qué hemos hecho, Dietrich! ¡Estamos locos! ¡Estoy loca! Nunca pensé que pudiese llegar a esto.

—Estoy loco, pero loco por ti. Te deseo tanto… Quiero que nos vayamos de aquí, quiero hacerte feliz. Y cuanto antes nos vayamos, mejor.

—No es tan fácil, Die, necesito tiempo. ¿Qué va a decir Marc? ¿Y si no quiere venir conmigo? Y mi marido, me da miedo su reacción. Dame unas semanas para pensar cómo lo hago, por favor.

—Claro, Antonia, pero no te lo pienses demasiado. Cuanto más tiempo pase, más difícil será —dijo Dietrich mientras se volvía a vestir.

Pasaban los días y Dietrich seguía con las rutinarias visitas a casa de Marc. Mientras el joven practicaba la pieza musical, los adultos daban rienda suelta a su pasión. Eran muy breves los encuentros y ambos necesitaban más tiempo juntos. Inexorablemente la atracción y la necesidad del uno hacia el otro iba creciendo.

Emil llegó a casa a su hora habitual, eran las ocho y media de la noche. Tenía la cena preparada en la mesa, codillo al horno con patatas asadas y cebolla caramelizada. Antonia y Marc le estaban esperando. El olor a alcohol en el aliento de Emil era nauseabundo.

—Emil, tenemos que hablar. No puedes llegar a casa en estas condiciones. ¿Qué imagen le estás dando a tu hijo?

—¿Tenemos que hablar? ¿Tenemos que hablar de qué? ¿Te crees que soy idiota? Yo oleré a alcohol, pero tú hueles a colonia de hombre que tira de espaldas, puta. ¿Tanto te acercas a ese músico que se queda su olor en tu ropa? Zorra malnacida, desagradecida. Menuda mierda de cena que me tienes preparada —gritó Emil visiblemente perturbado.

Emil cogió el plato y lo lanzó contra la pared del comedor.

—No tengo hambre, me voy a la cama. Tú, Toñita (diminutivo que usaba cuando le hablaba con cierto desprecio), mejor que duermas en el sofá. Marc, mañana me tienes que acompañar a la carnicería, tenemos que estar todo el día haciendo inventario y me tienes que ayudar. A ver si dejas de hacer el imbécil con el puto piano, la pintura o las tonterías que haces.

El día amaneció caluroso. Tras desayunar, Emil y Marc cogieron la bolsa que Antonia les había preparado para el almuerzo: unos bistecs de lomo, salchichas de Frankfurt y unas manzanas. Emil fue a la nevera y metió seis latas de cerveza.

—¡Esta mujer me quiere matar de sed!— gritó, dando un fuerte portazo al salir.

Llegaron a la carnicería sobre las ocho de la mañana, tenían mucho trabajo por hacer y enseguida se pusieron manos a la obra. Marc se puso a controlar el orden y la higiene del local. Se colocó una bata blanca desechable de protección y unos zapatos antideslizantes y se dirigió a las cámaras. Las etiquetas de caducidad en todas las carnes estaban correctas y las máquinas, cámaras y utensilios de corte necesitaron un repaso, pero nada fuera de lo común.

Emil estaba en la tienda preparando los pedidos de los clientes del día anterior. No eran muchos pedidos y, en un par de horas, había terminado. Abrieron la tienda y fueron atendiendo a los clientes que venían a comprar, y Emil pudo observar la destreza con la que su hijo manejaba los cuchillos, la precisión de los cortes, y no pudo evitar sentir cierto orgullo.

—Papá, me dijiste que venía contigo para hacer un inventario de las carnes y, de momento, no hemos empezado. ¿Lo haremos después de comer?— preguntó Marc desconcertado.

—No, hijo, hoy comeremos en casa. Cerraré la carnicería al mediodía, comeremos en casa y tendremos la tarde libre.

Marc se extrañó ante tal respuesta, pero no dijo nada y se limitó a terminar de cortar un chuletón de buey al último cliente.

Antes de entrar en el coche camino a casa, Emil se bebió prácticamente de un sorbo la última lata de cerveza. La estrujó con fuerza y la lanzó hacia unos arbustos que había en el lado derecho de la carretera.

—¿Qué música quieres escuchar de camino a casa, hijo?— preguntó Emil.

No necesitaba respuesta. El padre cogió un casete de música clásica y empezó a sonar *Vom Tode* (sobre la muerte), de Beethoven.

Durante el trayecto de la carnicería a casa, padre e hijo no tuvieron tema de conversación. Marc estaba pensando en llegar a casa y salir pitando hasta el río, a ver si encontraba a algún pintor.

Cuando llegaron a casa, el BMW estaba en la puerta.

—¡Vaya! Tu madre tiene visita. No sabía que también daba clases de piano, con razón cobra tanto el desgraciado. Hijo, pase lo que pase, oigas lo que oigas, no salgas del coche, ¿lo has entendido?

Marc asintió sin decir absolutamente nada. Hacía muchísimo calor. Emil salió del coche y cerró la puerta del coche con una suavidad impropia de él. El sudor le caía por la frente y se lo secó con un pañuelo blanco que llevaba en el pantalón. Pensó en entrar por la puerta principal pero decidió que era mejor acceder por la puerta exterior que conducía al sótano. La puerta se instaló hacía seis meses y fue bastante cara, unos once mil marcos alemanes. A pesar de ello, a Emil le resultaba muy útil ya que en el sótano guardaba todo tipo de utensilios, maquinarias y herramientas para arreglar el jardín y era mucho más práctico sacarlos por ahí que subirlos por el interior de la casa para después sacarlos por la puerta de entrada.

Ya en el sótano sin encender la luz cogió el hacha de inspiración vikinga con acero al carbono y mango de madera de fresno con la que presumía con su hijo de cortar, de un solo golpe, troncos de hasta veinticinco centímetros de diámetro.

Subió la escalera de madera que daba al pasillo sin hacer ruido echó un vistazo desde la puerta del comedor y no había nadie. En la sala donde estaba el piano tampoco encontró a Antonia.

Pensó que podían estar en la cocina y entró lentamente, ni rastro de ellos.

En ese momento le pareció escuchar unos murmullos que venían de la planta superior. A medida que iba subiendo las escaleras los sonidos eran más intensos, pero ya no eran murmullos, eran gemidos que venían de la habitación de matrimonio. Emil sintió que el corazón se le salía del pecho y los latidos se le aceleraban como una locomotora. La puerta estaba entreabierta y con mucha cautela se asomó.

No daba crédito a lo que veían sus ojos. Por unos instantes se quedó petrificado en la puerta ante la imagen que estaba contemplando.

Su esposa estaba desnuda arrodillada en la cama en postura de perrito mirando hacia el cabecero de madera, el músico también desnudo estaba detrás de ella penetrándola con movimientos rápidos.

—Sí, Dietrich, sí. Sigue, sigue, más, más. No había sentido nada igual. Aaaah, aaah (gemidos).

—¡Que gustazo Tona! ¡Que placer!

En ese mismo momento un potente golpe sacudió la cabeza de Dietrich.

Emil le había incrustado la hoja de la afilada hacha en el centro del cráneo. El impacto fue tan potente que le había separado en dos la cabeza hasta llegar al inicio de la mandíbula. El cuerpo de Dietrich cayó como un plomo al suelo. No contento, Emil le asestó dos hachazos más en el pecho.

—¿Y esto te gusta, hijo de puta? —gritó.

Había sangre por todo el suelo, las paredes de la habitación y el techo estaban llenos de salpicones. La cara furiosa de Emil estaba cubierta de un rojo intenso y los ojos parecía que se le salían de las órbitas. A Antonia le pareció ver al mismísimo diablo.

—¡Nooooooo, Dios mismo, noooo! ¿Qué has hecho? Nooooo —gritaba la esposa en un rincón de la habitación.

Emil sacó el hacha encajada en cuerpo de Dietrich y se dirigió a Antonia.

Levantó el hacha para darle un golpe mortal, pero se detuvo.

En la puerta de la habitación estaba Marc, pálido e inmóvil, contemplando la macabra escena.

—¿Dios dices? ¿Qué le pides a Dios? ¿Tu perdón? Yo soy tu Dios, yo soy quien te libra de la muerte, inmunda pecadora. Yo imparto justicia. ¿Has visto, Marc, lo que me ha obligado a hacer tu madre? —sentenció enfurecido Emil.

Todo sucedió en un instante, la hasta ahora tranquila y apacible familia Metzger se había convertido en un torbellino del que no había marcha atrás.

El cuerpo mutilado, completamente desnudo, del gran músico Dietrich yacía en el suelo del dormitorio, cubierto de sangre. Ya no tocaría más en la orquesta de Viena, seguro que le echarían de menos. Ya no daría más clases a jóvenes aprendices, ya no pecaría más con las mujeres casadas.

—¡Estás loco, Emil! ¡Te has vuelto loco! ¿Cómo has podido matarlo? ¿Qué vamos a hacer ahora? —se lamentaba Antonia, sollozando.

—¿Loco? ¡Loca estás tú! Adúltera, infiel. En nuestra casa, en nuestra cama, con tu hijo delante.

Emil se quitó la camisa, descubriéndose el torso, alzó los brazos haciendo la cruz y se arrodilló en el suelo delante del batiburrillo de carne y sangre.

—¡El que mira a una mujer casada deseándola, ya ha sido adúltero con ella en su interior. Si tu ojo derecho te hace caer, sácatelo y tíralo!

Emil sacó de su bolsillo del pantalón una navaja pequeña y extrajo los ojos de lo que quedaba del rostro de Dietrich.

Los alzó como si se los ofreciera a Dios y se los comió.

Marc seguía petrificado en la puerta del dormitorio, pensó en salir corriendo, pero sus piernas no respondían.

—Marc, baja al sótano y trae el forro de plástico con el que cubrimos la leña cuando llueve y un rollo de cinta americana. Espabila. Y tú, Toñita… vístete y empieza a limpiar toda esta mierda. Que no quede ni rastro —ordenó Emil.

—Perdóname, Emil, perdóname. Me sentía muy sola. Lo siento, lo siento —lloraba desconsolada.

—Ya hablaremos, ahora recoge todo esto.

Marc subió de nuevo al dormitorio con el plástico. Entre él y su padre lo extendieron en el suelo del pasillo donde la sangre no había llegado a salpicar. Cogieron de las extremidades el cuerpo inerte y lo pusieron encima. Lo envolvieron y con la cinta americana sellaron el plástico.

La madre había ido al patio trasero a buscar una fregona, un cubo con agua fría, lejía y varias toallas.

Emil rebuscó entre la ropa del músico las llaves del coche y lo metió en el garaje.

—Antonia, ¡llévate esta ropa asquerosa de aquí, huele a colonia barata! Lánzala a la chimenea y que se queme, que no quede rastro de ella.

La ropa estaba en el banco a los pies de la cama y tenía salpicaduras de sangre, como todo lo que había en la habitación.

No era conveniente que algún vecino viera el vehículo en la entrada de la vivienda y, si alguien ya lo había visto, tendrían un problema.

Llevaron con gran esfuerzo el cadáver hasta el coche (Dietrich era un hombre muy corpulento, con mucha masa muscular). Tuvieron que detenerse varias veces, y ya en el garaje, lo metieron en el maletero del BMW.

La madre tardó muchas horas en limpiar toda la escena. Había sangre y pequeños trozos de carne por todos lados. Mientras realizaba la limpieza, varias veces le entraron arcadas, pero se contuvo. Se preguntaba cómo habían llegado a esta situación. Se lamentaba de no haberse ido antes con su amado, y la gran pregunta era: ¿Qué sería de ellos ahora? ¿Qué podían hacer? ¿Tenía que ir a la policía? Sinceramente, no le convenía.

Eran las dos de la madrugada cuando terminó exhausta la limpieza. Se fue a duchar y se tumbó en el sofá. Aunque creía que no podría, se durmió.

Antonia estaba paseando por los Campos Elíseos de París, iba caminando de la mano de Dietrich. Era verano y hacía sol, un día perfecto para sentarse en una terraza y tomar un vermut.

Llevaba un vestido blanco estampado de flores rojas y amarillas y un sombrero de ala amplia. Escuchaban la música que salía de las ventanas, música clásica. Dietrich tenía que tocar un concierto esa noche y Antonia tenía un desfile a la mañana siguiente con sus creaciones. Se había convertido en una afamada modista de la alta costura. Tenían una villa en el norte de Italia, en la región de Lombardía, a orillas del lago Como, y todo era idílico.

Su hijo Marc era un arquitecto de gran reputación mundial y el pequeño Igor, hijo de Antonia y Dietrich, terminaba la universidad con notas excelentes.

Marc la despertó.

—¡Mamá! Es muy temprano, pero papá me ha pedido que te despierte, despierta ya. Papá tiene hambre y quiere desayunar.

Eran las cinco de la mañana.

Antonia se secó las lágrimas de la cara. El sofá estaba mojado, había estado llorando en sueños toda la noche.

Estaba muy cansada, por un momento pensó si todo había sido una pesadilla, pero rápidamente esa idea se le quitó de la cabeza.

—¿Hiciste anoche lo que te dije, maldita zorra? ¿Lo limpiaste todo? —preguntó Emil.

Antonia asintió sin decir nada mientras se dirigía a la cocina a preparar el desayuno.

Durante el desayuno hubo silencio. Emil masticó el último bocado de tostada con beicon y huevo y se dirigió a su mujer.

—Querida, la que has liado ha sido gorda. Le he estado dando vueltas esta noche y la única solución que se me ocurre es que tu hijo y yo divulguemos por el pueblo que te has ido de casa con tu amante y nos has abandonado. Hace tiempo que saben que Dietrich viene a dar clases de piano a Marc y que tú siempre estás en casa. No creo que les extrañe demasiado, nunca te veían por el pueblo y la gente aquí no es nada cotilla. Lo que haremos será irnos de este sitio para no tener que ocultarte eternamente, cosa que te aseguro, ganas no me faltan. Tenemos varias franquicias y el negocio va bien. Coge tu pasaporte, una maleta con lo justo y necesario y vuelve a Mallorca, a la casa que te dejaron tus padres en Valldemossa antes de morir. Nosotros iremos unas semanas más tarde y abriremos una carnicería allí. Tenemos dinero, no tendremos problemas. Comenzaremos de cero y todo nos irá bien. Volveremos a ser una familia feliz.

La idea era precipitada pero para nada descabellada. A Antonia, el hecho de volver a su ciudad natal le parecía maravilloso y no le puso ningún inconveniente. Realmente creía que no había otra opción y la aceptó.

—Marc, tú hoy te vienes conmigo, tenemos que acabar el trabajo —comentó Emil, mirándole seriamente.

Caminaron hasta el garaje y arrancaron el BMW azul brillante. La conducción era muy suave y a Emil le entraron unas ganas repentinas de tener uno igual. Marc no sabía a dónde iban, pero el camino era el de siempre y solo llevaba a la carnicería. Se habían levantado tan temprano para evitar que alguien pudiese verlos conduciendo ese vehículo, todavía estaba todo muy oscuro.

Llevaron el coche a la parte trasera de la tienda.

—¡Ayúdame a sacar a este cabrón del maletero! Llevémoslo dentro —dijo Emil a su hijo.

El *rigor mortis* ya era prácticamente completo en el cadáver y les costó bastante meterlo en el almacén. Una vez allí, Emil lo colgó de un gancho de acero inoxidable.

—Marc, es hora de que demuestres todo lo que te he enseñado. Es el momento en que el alumno supere al maestro. Sepáralo en partes y cada trozo mételo en una bolsa. Las vísceras, todas juntas, y las trituraremos en la mezcladora —le guiñó el ojo como si le estuviese hablando en broma. Pero le hablaba bien en serio.

Marc se quedó petrificado y no sabía cómo actuar.

—Papá, no creo que debamos hacer esto—

Justo al terminar la frase, el padre le propinó un puñetazo terrible en la cara, a la altura del pómulo izquierdo. Marc cayó al suelo, le estaba sangrando la nariz.

—¿Qué quieres, que lo llevemos al hospital? Pedazo inútil. ¿Decimos que nos lo hemos encontrado así? No tenemos otra opción que hacerlo desaparecer.

—Dios corrige y castiga a todo aquel que ama y considera su hijo. Si estás sufriendo, es porque te amo. A los impuros y adúlteros Dios los juzgará —rezó Emil.

Marc se levantó, cogió un cuchillo y una sierra eléctrica para huesos y se puso frente al cadáver. Al principio le resultó muy repulsivo, pasados unos minutos pensó que al final no era más que carne como cualquier otra. Humana, pero al fin y al cabo, carne.

En hora y media había terminado la encomienda. Tenía todas las bolsas apiladas en un rincón y había dejado todo impoluto. Emil no podía sentirse más orgulloso de su hijo. Metieron las bolsas en una carretilla y las llevaron a la granja.

La granja tenía una extensión de treinta y cuatro hectáreas y aunque también tenían aves de corral, era una granja intensiva especializada en la cría de cerdos y jabalíes. Arrojaron el contenido de las bolsas a los animales, en pocas horas no quedó nada de lo que, un día, fue un músico de gran éxito mundial.

—¿Qué canción le pondrías a esta escena Marc? Todo momento tiene su propia banda sonora, me gusta pensar en eso— preguntó Emil con cierta burla.

—No lo sé, papá. Solo sé que por muy justificados que creas que hayan sido tus actos, siempre tendrán consecuencias. Esto nos perseguirá toda la vida.

—*Nessun dorma*, de Puccini —concluyó el padre sin prestar atención a lo que decía Marc.

El día transcurrió sin ningún imprevisto. Antonia había hecho una maleta con un par de vestidos, varias blusas, ropa interior y poco más. Cogió dinero de la caja fuerte, el pasaporte y salió de casa a las ocho de la mañana hacia la estación de tren. Desde allí tomó rumbo al aeropuerto de Berlín. El viaje era largo, unas diez horas, y la mayor parte del trayecto se lo pasó durmiendo. En el aeropuerto esperó al primer vuelo que saliera hacia Mallorca. Preguntó en ventanilla, la azafata le comentó que había uno que salía a las diez de la noche y otro a la mañana siguiente a las siete. Prefirió esperar al vuelo de la mañana y pasar la noche en el aeropuerto. A las diez y media de la mañana, Antonia pisaba Mallorca.

Emil y Marc trabajaron hasta las siete de la tarde en la carnicería. Ese día la afluencia de clientes fue enorme y, teniendo en cuenta el madrugón, estaban agotados. Se había hecho de noche, Emil rebuscó en la nevera del local una lata de cerveza y se la bebió de dos sorbos.

—Marc, vámonos, todavía nos queda bastante para llegar a casa. La noche será larga.

Se metieron en el coche, Marc eligió la música, *Alchemy,* de Dire Straits. Marc adoraba ese disco, lo llevaba siempre a todas partes, le encantaba escucharlo cuando quería evadirse del mundo y no pensar en nada. Él lo llamaba «meterse en su burbuja».

Pero esta noche no podía, pensaba en todo lo sucedido y en lo que pasaría a partir de ahora. Dejar sus amistades, su ciudad, sus hábitos, sus estudios. Odiaba a su padre, eso lo tenía claro. Su madre había cometido un error, no el de enamorarse de otro hombre, eso lo podía entender, sino el error de no hacer las cosas correctamente. Quizás por miedo a la reacción de su padre, seguro, por miedo. La habría matado. Pero la conducta y los actos de papá no tenían perdón de Dios. Ni de Dios ni de él. Las palizas a su madre, las borracheras, el atroz asesinato a Dietrich, la actitud con él esta mañana y la obligación de deshacerse de esta manera del cadáver, odiaba que no hubiesen hecho nada juntos en toda su vida y, para una cosa que hacen… eso no lo iba a perdonar nunca. Emil paró el coche.

—Ya hemos llegado, Marc. Baja del coche y quita la música que te has traído de casa. Por cierto, vaya mierda de música. Si en eso te gastas el dinero que te doy, vas apañado. Yo a tu edad me iba todos los días de putas.

Estaban a orillas del lago Mummelsse, a cincuenta y cinco kilómetros de Schiltach. Echaron un vistazo en todas direcciones. No había nadie.

—Ayúdame a empujar el coche al lago, tiene que quedar completamente sumergido —le dijo Emil, dándole una palmada en la espalda.

Los dos empujaron el coche con toda la fuerza que les quedaba y observaron cómo lentamente el BMW se iba hundiendo en el lago hasta desaparecer por completo bajo las frías aguas. Así desapareció el último rastro que quedaba del gran músico.

—*Are you lonesome tonight,* Elvis Presley —dijo Marc sin dejar de mirar al lago.

—Muy buena, hijo, muy buena.

Marc, triste, lleno de ira, y Emil, sumamente satisfecho, volvieron a casa en tren sin dirigirse la palabra.

III

Desde el balcón

Las negociaciones para la venta de la casa estaban marchando de lujo, era una casa enorme, con grandes jardines y porche. A Marc le gustaba pasar las tardes en el porche mientras repasaba las tareas de clase y tomaba un refresco. La puesta de sol se veía mágica desde ahí. Habían pasado únicamente dos días desde que puso el cartel de «en venta» cuando recibió una oferta irrechazable. Era normal, la villa estaba muy bien situada y la familia Metzger la había mantenido en perfectas condiciones.

—Buenos días, señor Metzger, mi nombre es Finn Kaufmann, me ha llegado la noticia de que quiere vender sus propiedades y estoy muy interesado. —Finn Kaufmann era un terrateniente suizo multimillonario que tenía extensiones enormes de terreno agrícola por todo el norte de Suiza y parte de Alemania.

—Buenas, señor Kaufmann, sí, tengo que vender mis propiedades, en tres semanas me voy del país. Tengo una villa preciosa de trescientos metros cuadrados en la zona alta de la ciudad, tengo una granja bastante amplia con ganado y justo al lado tengo la carnicería que tengo que traspasar. Sinceramente, la carnicería quiero franquiciarla— comentó Emil.

—Lo quiero todo, señor Metzger, y no se preocupe por el tema económico, seguro que llegaremos a un acuerdo —apuró en decir Finn.

—¡Perfecto! Hable con mi abogado y la inmobiliaria que me lleva todo. Espero noticias suyas. Muchas gracias —Emil colgó el teléfono y dio un salto de alegría. Marc lo vio desde la distancia.

—¡Marc, está todo vendido, en unos días, si todo va bien, nos vamos de aquí! —exclamó.

Marc no celebró la noticia tanto como el padre, iba a echar mucho de menos todo esto. Sabía que se iba a adaptar rápidamente a Mallorca, tendría muchas oportunidades de estudios allí y a quien sí echaba mucho de menos era a su madre. Se preguntaba cómo estaría y si habría llegado bien a casa. Emil prohibió las llamadas entre ellos durante esas tres semanas.

—Todo va rodado, solo nos falta encontrar un establecimiento en Palma o alrededores y comenzar una nueva vida. ¡Anímate, hombre! —dijo Emil eufórico.

Marc tenía otros planes para su futuro. De momento, se había hartado de carne por una larga temporada. Tenía dieciséis años y quería seguir estudiando, sabía que tenía una gran capacidad intelectual fuera de lo normal y quería aprovecharla.

A la semana siguiente Emil recibió la llamada de su contable y administrativa Amanda Kluver, una joven polaca muy atractiva que trabajaba para Emil desde hacía dos años, de la cual circulaban rumores por el pueblo que también le hacía otro tipo de trabajos más personales.

—¡Hola Emil, cariño mío! Todo está arreglado, falta tu firma para dejar todo listo. La casa, la granja y la carnicería pasarán a ser propiedad del señor Finn Kaufmann dentro de una semana cuando tengamos todos los papeles. A parte, hemos conseguido un buen local en Palma de Mallorca, el local está en el centro de la ciudad, la zona se llama Mercado del Olivar, se mueve muchísima gente por allí y no deberías tener problemas para que la carnicería prospere rápidamente. Una cosa más, querido, ¿Seguro que te quieres marchar? Voy a echarte muchísimo de menos, echaré de menos esos ratos cuando cerrabas la tienda antes de volver a casa y nos lo pasábamos tan bien. Tus manos duras y lo que no eran tus manos…—. Amanda soltó una risa pícara.

—Gracias, Amanda, por todo el trabajo realizado. No podía haber ido mejor. Respecto a lo otro, no es momento de hablarlo ahora, lo nuestro fue bonito mientras duró, dejémoslo ahí— sentenció Emil.

La semana siguiente pasó sin ninguna novedad, se firmaron los documentos y, sin apenas darse cuenta, padre e hijo estaban volando en dirección a la isla balear.

Valldemossa es una localidad situada en la zona que corresponde a la sierra de Tramontana, es un lugar emblemático donde sus calles empinadas, su vegetación y sus típicas casas mallorquinas forman un entorno precioso. Es un lugar muy visitado por los turistas donde es muy típico tomarse un chocolate con coca de patata (un bollo dulce y esponjoso). El pueblo también es muy conocido por su cartuja donde se alojó la pareja compuesta por el pianista y compositor Chopin y la escritora George Sand. A pocos kilómetros se encuentran el puerto y las localidades de Deià y Sóller, también de gran interés.

Marc tenía muchísimas ganas de volver a ver a su madre, nunca se habían separado durante tanto tiempo, necesitaba abrazarla y saber de ella.

Emil también quería verla, sentía la necesidad de hablar con ella tranquilamente e intentar encauzar sus vidas, como cuando se conocieron, cuando eran novios y paseaban por los senderos de la Selva Negra y se escondían entre los arbustos para besarse y manosearse, él a pesar de todo la amaba.

Llegaron a Valldemossa, la casa estaba ubicada en la calle Rey Sancho, en el centro del pueblo. Tenía una altura de dos plantas con ventanas de madera de pino norte y persianas verdes, las paredes de la fachada eran antiguas, un poco destartaladas, pero le daban un aire rústico que no desentonaba. La puerta de la entrada era de madera de doble hoja y daba directamente a la calzada de piedra, de vía exclusivamente peatonal.

La puerta estaba cerrada con llave. Emil se llevó la mano al bolsillo y sacó un par de llaves, probó con la primera y el bombín de la cerradura no giró, probó con la segunda llave y la puerta se abrió.

—¡Ya estamos en casa! —exclamó Marc con evidente emoción.

—¡Hola, Antonia! ¡Ya hemos llegado! —dijo Emil. Dejaron las maletas en la entrada y cruzaron el pasillo que daba a la sala de estar. Echaron un vistazo, Antonia no estaba allí.

Pasaron a la cocina, tampoco estaba allí. Estaba limpia y ordenada, sin objetos ni utensilios sucios, el fregadero impecable.

—¡Estará en la habitación! —dijo Marc con ciertas dudas.

Subió por la escalera hasta la habitación y nada, tampoco había rastro de su madre. La cama estaba hecha, no había ni una arruga en las sábanas y no se veían prendas de ropa por ningún lugar.

A Marc y a Emil ya les empezó a parecer un poco extraño.

El hijo salió del dormitorio de la madre y se dirigió a la siguiente habitación, la suya.

—Habrá salido a comprar algo, esperemos aquí hasta que vuelva —comentó Emil sin mucho convencimiento.

—No, papá, mamá ni está, ni vendrá —sentenció Marc.

El padre, al escuchar las palabras de Marc, se apresuró a subir las escaleras y entrar en el dormitorio de su hijo.

Marc estaba sentado en la cama junto a la mesita de madera maciza de pino, había una lamparita de noche y un reloj despertador, en la mano sostenía un papel.

—¿Por qué dices eso, Marc? ¿Qué pasa?

—Mamá me ha dejado una nota, se ha ido —respondió el hijo.

El padre le quitó la hoja a Marc con un movimiento brusco.

Querido hijo mío, siento mucho la situación que has tenido que vivir. Te pido perdón por todo y me siento muy avergonzada por todo lo ocurrido. Espero que algún día me entiendas y logres perdonarme.

Me gustaría que entendieras esta carta, sé que lo harás porque eres un chico muy inteligente.

Me ha resultado muy difícil tomar esta decisión, he tenido que pensar durante días lo que quería decirte. Tu padre está loco, ido, no iba a ser posible vivir aquí con él.

Ya no siento nada. Hace tiempo que lo veo como a un extraño, se pasaba todo el día en la calle con la excusa del trabajo. Para mí sería una amargura seguir así y no quiero eso en mi vida.

Marc, mi amor, vas a cumplir dieciocho años dentro de cuatro meses, ese es un número mágico.

Acuérdate de tomarte la medicación cada día, que luego tu cabecita se dispersa. No te puede faltar el silicio para los huesos, el nitrógeno para las hormonas que empiezan a estar alborotadas y

acuérdate de que tu bisabuelo murió por una intoxicación de europio.
Ten precaución.

Cuídate mucho, hijo mío, espero verte pronto. Te quiere, tu madre.

Posdata: Si me echas de menos, vuelve a leer la carta.

Marc volvió a quitarle la hoja de las manos.

—¡Dame la carta! ¡Esta carta es mía, mira todo lo que ha pasado por tu culpa, ahora mamá no está! —exclamó, rompiendo a llorar.

—¡Vete de aquí! ¡Vete de mi cuarto y déjame solo!

Emil salió de la habitación maldiciendo a su mujer por haberlos abandonado. Era algo que le había pillado por sorpresa y a Emil no le gustaban las sorpresas. Pensaba que podían arreglar las cosas y esto le había caído como un jarro de agua fría.

Marc escuchó un portazo, su padre se había marchado. Al bar, pensó.

Se quedó toda la tarde en la habitación, tumbado en la cama, lamentándose, llorando de vez en cuando, pensando en cómo la vida le había pegado una patada en la boca del estómago.

Tenía que reaccionar, lo que tenía claro era que no quería quedarse viviendo con su padre y estaba segurísimo de que a su padre tampoco le iba a apetecer hacerse cargo de él. Se durmió.

Estaba lloviendo, todos vestían de color negro intenso, a pesar de la lluvia y el día tan nublado, algunos llevaban gafas de sol. Vio un edificio gris al fondo que tenía una inscripción. Sabía dónde estaba. Lo recordaba. Era el cementerio Bon Sosec. Estaba en el crematorio y cogía de la mano a su madre. En el ataúd estaba su abuelo, a punto de convertirse en cenizas como él había pedido tantas veces en vida.

Metían el ataúd de madera de roble americano y, en el momento de encender las llamas, el ataúd empezó a abrirse. Asomaron los huesudos dedos del abuelo y, con un leve movimiento, apartó la tapa. El abuelo, seco, pálido y rígido, se incorporó desde el fondo del ataúd. Llevaba un traje azul oscuro con corbata del mismo color y camisa blanca.

Miró fijamente a Marc.

—No he muerto de intoxicación de europio, querido nieto, la silicosis acabó conmigo —dijo el abuelo, rígido como un palo.

El abuelo volvió a caer en el ataúd y las llamas comenzaron a calcinarlo todo.

Marc se despertó con su propio grito. Había tenido una pesadilla, la cama estaba empapada en sudor. Estaba desorientado, pero recordaba perfectamente aquel momento de su vida.

Habían tenido que viajar a Mallorca porque su abuelo, que llevaba varios años sufriendo la enfermedad de silicosis, había fallecido.

Pedro, como se llamaba su abuelo, trabajó durante toda su vida en la construcción, cortando piedras y mármoles. La silicosis es una enfermedad producida por una exposición prolongada al polvo de sílice. El polvo cicatriza e inflama los pulmones y ganglios linfáticos del tórax, provoca insuficiencia respiratoria y es potencialmente mortal.

Marc estaba muy confuso, ¿si su abuelo había muerto por silicosis, por qué en la carta le decía que fue por una intoxicación de europio? No tenía sentido. Algo no le cuadraba, quizás la confusión de su madre era provocada por los nervios de la situación, pero su madre rara vez se equivocaba. El europio también causa problemas pulmonares, pero se encuentra en televisores a color o lámparas fluorescentes.

Buscó la carta, durante el sueño se le había caído al suelo. La recogió y la volvió a leer.

Europio, me gustaría que entendieras esta carta, si me echas de menos vuelve a leer la carta.

—¡Mamá! ¡Me estás queriendo decir algo! —exclamó.

Comenzó por lo que menos le cuadraba, los elementos químicos.

Silicio, nitrógeno y europio. Silicio, número atómico 14, símbolo Si. Nitrógeno, número atómico 7, símbolo N. Europio, número atómico 63, símbolo Eu. Combinó los números, quizás un pasaje bíblico. Isaías 63, 7-14, lo leyó pero no llegó a ninguna conclusión.

Se centró en los símbolos químicos, Si–N–Eu. Su cuerpo se estremeció, sintió un escalofrío por todo el cuerpo y recobró el optimismo. De un salto se levantó de la cama.

Sineu, un pueblo tranquilo, situado en pleno centro de Mallorca.

—¡Ahí estás, mamá! ¡Sabía que no me ibas a abandonar!

La euforia se apoderó de Marc, le faltaban más datos, pero sabía que estaban en esa carta, comenzó a analizarla, palabra por palabra.

Buscaba coincidencias, palabras clave. Su madre quería decirle dónde estaba y tenía que hallar la dirección. Llevaba varias horas dándole vueltas, analizando una y otra vez la carta. Bajó a la sala de estar y encontró un callejero en una de las estanterías repletas de libros. Buscó la localidad de Sineu y leyó los nombres de las calles. Una de ellas era *carrer* Amargura. Lo demás salió automáticamente.

El mensaje oculto estaba compuesto por palabras sueltas, decía así:

Me he ido a vivir en la calle Amargura 18 (ese es el número mágico), Sineu.

La emoción de alegría embriagó a Marc. «¡Qué lista eres, mamá!», pensó.

—Ya sé de quién he heredado mi inteligencia —bromeó con cierta arrogancia.

Eran las once de la noche, él hubiese salido en ese mismo momento en busca de su madre, pero pensándolo bien, le convenía esperar al día siguiente. Se puso el pijama y se metió en la cama. Esa noche pensó en muchos momentos vividos en Alemania con su madre, en lo infeliz que ella había sido allí y en la nueva etapa que estaba por llegar. A su padre no quería verlo más. Le vino la imagen de su padre con el hacha en la mano. Pensó en Dietrich, cuando tocaban el piano juntos, en la imagen del músico desnudo colgado del gancho mientras su padre fumaba y bebía cerveza. En las palizas de su padre a su madre. «Mamá, ya no te volverá a pasar nada».

Después de unos minutos se durmió.

Marc se despertó muy temprano, eran las siete de la mañana cuando había terminado de desayunar un café con leche de avena y una tostada con jamón. Se había puesto un chándal para estar cómodo y unas deportivas blancas de una conocida marca americana.

Sineu quedaba a una distancia de cuarenta kilómetros aproximadamente y pensó que pedir un taxi sería la mejor opción. Le gustaba montar en bicicleta, pero todavía no conocía las carreteras y descartó esa idea.

Antes de salir de casa se asomó a la habitación del padre. Estaba en la cama desnudo durmiendo, a los pies de la cama había una botella vacía de *whisky* escocés Glenfiddich de quince años.

El taxi esperaba.

Sineu es un pequeño pueblo de Mallorca situado en el plano central de la isla, un buen lugar para quien aprecia la tranquilidad. Su mercado semanal atrae a residentes y turistas, es el único en el que todavía se vende ganado. Aunque el aspecto del pueblo es rural, antiguamente era una de las ciudades más importantes.

Marc llegó a la calle Amargura 18. Era una finca de cuatro plantas, curiosamente una de las pocas que había en el pueblo, ya que el resto eran casas unifamiliares de una o dos plantas como mucho. La fachada estaba pintada de un rosa salmón, las ventanas y puertas tenían las típicas persianas mallorquinas de color verde. Era una finca relativamente nueva, tendría unos veinte años de antigüedad.

«Ahora, ¿qué piso será?», pensó.

Cogió la carta de su madre y la repasó. Dieciocho años dentro de cuatro meses.

—Dieciocho, cuatro. Gracias, mamá.

Tocó el portero del cuarto piso varias veces, nadie contestaba. Estaba a punto de desistir y darse media vuelta cuando el portero automático abrió la puerta.

El paso de las escaleras era estrecho y los peldaños eran de barro cocido. Le supuso un buen esfuerzo llegar hasta arriba y pensó que tenía que retomar un poco el deporte.

La puerta de la casa era de madera de pino teñida de un marrón muy oscuro. No tenía timbre, solamente había una aldaba de hierro fundido con forma de búho. Fue a golpearla cuando la puerta se abrió.

—¡Mamá! —gritó Marc lanzándose hacia ella para abrazarla.

—¡Hijo mío, sabía que me encontrarías!

Los dos se pusieron a llorar durante un buen rato.

Antonia estaba notablemente desmejorada.

—Pasa, hijo, no te quedes en la puerta, tenemos mucho de qué hablar.

La casa era pequeña, pero estaba muy bien distribuida, para dos personas era más que suficiente. Las dos habitaciones eran grandes y el comedor era muy luminoso, con un balcón amplio que daba a la calle.

Se sentaron en el sofá del comedor. Hubo un momento de silencio.

—Marc, querido hijo, no quiero que pienses que te he abandonado, a veces una piensa en una vida maravillosa, tener un sueño, cumplirlo, tener un trabajo que te haga sentir importante, casarse con un marido para toda la vida y ser feliz para siempre. Esto, para mí, es una utopía. Llegados a este punto, lo único que me queda es cuidar de ti y protegerte el tiempo que pueda. Quiero que te quedes viviendo allí, en la casa de Valldemossa. No se te ocurra decirle a tu padre dónde estoy, por favor. Quiero que continúes con los estudios y consigas todo lo que desees. Yo no he podido, pero tú sí podrás. Tenemos dinero, por eso no te preocupes. Así que, adelante.

Una cosa más, Marc. La semana pasada fui al médico, no me encontraba bien. Tenía tos, me costaba respirar y me dolía el pecho. Tengo carcinoma microcítico. Me han dado entre seis meses y un año de vida.

Marc se quedó pálido. De nuevo rompió a llorar.

—¿Cómo puede ser, mamá, si tú nunca has fumado? Quien fuma es papá.

—Para que veas lo irónica que es la vida. Hasta con eso me ha jodido tu padre —dijo Antonia.

—Pero se podrá curar, te puedes poner bien, ¿no? —preguntó Marc sollozando.

—Haré un intensivo de quimio, hijo. Pero me temo que lo único que voy a lograr es alargar un poco lo inevitable.

—Tenemos que confiar, mamá. Tenemos que tener fe. Dios nos ve y nos ayudará. Los milagros existen —contestó Marc.

Los dos estuvieron varias horas sentados conversando, quedaron en que Marc volvería mañana por la mañana para estar con ella todo el día.

Emil comenzó a trabajar en la carnicería del Mercat del Olivar. El inicio fue buenísimo, con mucha afluencia de gente. No podía estar más contento.

Por la mañana, el padre se levantó temprano y despertó a Marc.

—Hijo, despierta, me gustaría que vinieras a ayudarme a la carnicería. Hay muchísimo trabajo.

Marc se estiró en la cama.

—Lo siento. Voy a estudiar y por la tarde tengo otros planes.

El padre le soltó una bofetada, pero Marc le paró el golpe con el brazo.

—No se te ocurra ponerme la mano encima —sentenció Marc.

Los siguientes meses transcurrieron sin ningún aconteci-
miento importante. Emil trabajaba con éxito en la carnicería,
estaba pensando en abrir una tienda en la localidad de Inca,
a treinta kilómetros de Palma, después de la capital, la ciudad
más poblada de Mallorca. Marc estaba en la universidad cur-
sando los estudios académicos de Bellas Artes, sacando unas
notas excelentes. Por las tardes salía a pasear o estudiaba cursos
de anatomía junto a Ralph. La madre de Marc acudía a sus
ciclos de quimioterapia, dos semanas de tratamiento y una de
descanso, para luego continuar. Milagrosamente, el cáncer se
estaba reduciendo.

Marc rezaba cada noche por la salud de su madre. Creía
ciegamente que el rezo era efectivo. «Dios existe y es bondadoso,
cuida de mi madre». Solo le quedaba ella, con su padre no contaba
para nada, vivían juntos pero nunca se veían.

Emil salía temprano de casa para preparar la apertura de la
carnicería y Marc llegaba tarde, cuando su padre ya dormía.

Alguna vez Emil se preguntaba qué estaría haciendo su hijo
todas las tardes, si alguna vez veía a su madre o si realmente, como
le había dicho varias veces, nunca más la había vuelto a ver.

Una tarde fría de invierno quiso comprobarlo. Era diciembre
y llovía copiosamente. Emil cerró la carnicería al mediodía, había
vendido poco ese día. Pensó con cierta gracia: «¡A ver si cuando
llueve la gente no come!», pero no le importaba demasiado. Se
dirigió a la universidad, esperando la salida de los alumnos. Esperó
algo más de veinte minutos hasta que apareció Marc.

Marc se había comprado un coche negro de segunda mano,
un Skoda Fabia, no era gran cosa, pero para la isla era muy práctico. Arrancó y se puso en marcha dirección Sineu.

Emil lo siguió con cuidado de no ser descubierto. Condujo durante media hora, Emil no tenía idea de a dónde iban, se centró en seguirle.

Marc llegó a casa de su madre, aparcó el coche y subió.

El padre había aparcado treinta metros atrás, lo suficientemente cerca para ver el portal y el piso que su hijo había pulsado.

—Hola, mamá, ¿qué tal te encuentras hoy? ¿Cómo va la quimio? —preguntó Marc animoso.

Antonia estaba demacrada, la quimio estaba haciendo estragos en su cara, había perdido muchísimo peso y lamentablemente también le había provocado la caída del cabello.

—Hijo, no puedo más. Puede ser que la enfermedad mejore un poco, pero si no es el cáncer será la quimio la que acabe conmigo. Estoy debilitada, cansada, no puedo con mi alma.

—No digas eso, mamá, ya queda poco. La semana que viene los médicos nos dirán si el cáncer ha remitido lo suficiente. Pronto dejarás la quimio. Dios está de nuestro lado —le reprochó Marc.

La madre estaba muy pensativa, dispersa, como quien está en un sitio pero pensando en otra cosa.

—Marc, esta noche haré algo que puede traer consecuencias desagradables. Lo he pensado mucho y es lo que debo hacer. Otra cosa más, mira lo que te he comprado, es típico de Mallorca.

—¿Qué me quieres decir, mamá? ¿No irás a hacer ninguna tontería, no? —preguntó.

La madre sacó de una bolsa de cartón un paquete envuelto en papel de regalo. Marc lo abrió ansioso, como un niño pequeño abre los regalos de Papá Noel.

Era una figurita de barro de color blanco con líneas rojas y verdes; en la parte de atrás tenía una especie de silbato sin pintar.

—Se llama *siurell*. El día que yo falte quiero que lo tengas. Piensa que soy esa figura típica de la isla, mi tierra. Es todo lo que soy. Es lo que me representa. Silba cuando me necesites y sabrás que estoy contigo, esté donde esté, intentaré ayudarte —dijo Antonia.

—Gracias, mamá, pero no entiendo. Voy a dejar la figura aquí en el mueble del recibidor. Ya mañana pasaré a buscarla. Prefiero verte a ti que a este trozo de cerámica. Descansa, que debes estar muy cansada, duerme y ya mañana nos vemos. Te quiero mucho.

Marc le dio un fuerte abrazo y un beso en la mejilla antes de salir del piso. Se subió al coche e inició el camino que le llevaba a Valldemossa.

Emil, desde su vehículo, observó cómo su hijo salía de la finca y esperó cinco minutos antes de salir del coche.

En el momento en que Marc abandonó la casa, la madre se apresuró a dirigirse al comedor para descolgar el teléfono. Realizó una llamada breve, de minuto y medio aproximadamente. Al colgar, soltó un suspiro de alivio.

Sonó el portero, Antonia abrió la puerta sin preguntar. «Marc se ha olvidado algo, ¡vaya cabecita tiene!», pensó. Con pasos lentos y cansados, fue a la puerta de la entrada a esperarlo. Cuando prácticamente estaba arriba, abrió la puerta.

—¿Qué te has olvidado, hi…? —Su cara cambió radicalmente de aspecto, como quien ve un fantasma, palideció y sus piernas empezaron a temblar. Le pareció ver al mismísimo diablo.

Intentó cerrar rápidamente la puerta, con toda la rapidez que podía en su estado, pero no le dio tiempo. Emil puso el pie entre la puerta y el marco. Era imposible cerrarla, Antonia quiso gritar, pero su voz era muy débil.

Emil estaba dentro y cerró de un portazo.

—No soy tu hijo, amor mío. ¡Sorpresa! ¿Qué pasa, no te alegras de verme? Veo que tu aspecto ha mejorado mucho desde que no estamos juntos —sus palabras estaban llenas de ira y burla.

—Vete de aquí, por favor. Vete y déjame tranquila. Necesito descansar —balbuceó Antonia con una voz quebrada, casi inaudible.

—Me iré, tranquila, te dejaré descansar. Pero antes escúchame. No te voy a reprochar nada. Volvamos a estar juntos, yo te quiero, te cuidaré, quiero que vuelvas a casa y te quedes allí, que hagas de ama de casa. No necesitas hacer nada más, yo traeré el dinero como he hecho siempre. Que nos hayas abandonado me cabreó bastante, la verdad, pero podemos volver a ser una familia feliz. —Emil iba hablando mientras se acercaba a su todavía mujer. Antonia iba reculando por el comedor a medida que él se acercaba.

—¡Nunca hemos sido una familia feliz, Emil! Entérate. Toda mi vida he sido infeliz contigo. No tengo ganas ni fuerzas para hablar, estoy muy cansada, vete. Pero que te quede claro, nunca volveré contigo.

—Puta zorra de mierda, desagradecida. Ramera asquerosa. ¿Con quién vas a estar mejor que conmigo? ¿Qué pasa, ya has conocido a alguien? ¿Te folla mejor que yo? —gritaba Emil, cada vez más cerca.

—No estoy con nadie, créeme. ¿Te parece que con este aspecto y mi enfermedad voy a estar con alguien? —Antonia estaba muy nerviosa. Tenía miedo. Estaban ya a la altura del balcón de tanto retroceder.

—Mentirosa rastrera. Si no estás conmigo, no estarás con nadie. —Emil la cogió de los brazos y, con un contundente empujón, la lanzó por el balcón.

Antonia cayó a la calzada, del potente golpe contra el suelo murió en el acto.

—Descansa todo lo que quieras ahora, Toñita —dijo mirando desde el balcón el cuerpo inerte. Emil salió de la casa rápidamente, cerró la puerta del piso y se apresuró a encender el coche. En su huida golpeó el *siurell* que estaba en el recibidor y este cayó al suelo, rompiéndose en pedazos.

Con el golpe se le desenganchó la pulsera que le había regalado su hijo, quedando en el mueble del recibidor. Emil no se percató debido a los nervios del momento.

Se pasó toda la noche en un prostíbulo, se emborrachó y probó todo tipo de sustancias, como si estuviera celebrando algo.

Sonó el teléfono en el dormitorio. María solía despertarse de buen humor, no como esa inmensa mayoría de gente que si no ha pasado una hora y han tomado un buen café cargado, es mejor no hablarles. Siempre se iba a acostar bastante temprano, sobre las diez como muy tarde. Los fines de semana eran otra historia, como a cualquier joven de veintidós años le gustaba la fiesta, la música y trasnochar. Esa noche el teléfono le alteró el sueño, la incomodó. Normal, eran las dos de la mañana. En un principio pensó que había dormido mal, que había tenido una mala noche, que se había quedado dormida y la estaban llamando del trabajo porque llegaba tarde. Después miró la hora, descolgó el teléfono con cierta angustia.

A estas horas ninguna llamada de teléfono es buena señal, pensó.

—María, soy el intendente Ramírez. Siento llamarte a estas horas, pero tenemos un caso de un posible suicidio, aunque no podemos descartar nada de momento. Te llamo a ti porque tanto el inspector como el subinspector están ocupados en otros temas. Creo que es un caso sencillo, muy evidente. De todas formas, ve a ver qué te encuentras y pásame el informe enseguida que puedas. Te vendrá bien algo así para empezar, para ir cogiendo ritmo y comenzar con la dinámica de trabajo. Te paso la dirección. Está en Sineu. —El inspector colgó el teléfono sin dejar hablar a María.

María Blanco era una recién llegada a la comisaría, llevaba tan solo dos semanas como policía. Sus compañeros la habían acogido con amabilidad, aunque ella sentía que la dejaban de lado en alguna ocasión. Era delgada y, posiblemente, los compañeros preferían llevar de compañero en sus patrullas a alguien más fuerte y, por qué no decirlo, con un par de pelotas, que a una jovencita frágil y novata.

La policía llegó a la finca de Sineu en treinta minutos, se le había quitado el sueño de golpe. El cuerpo de Antonia estaba cubierto por una manta dorada que no llegaba a cubrir el reguero de sangre que recorría la calle. A pesar de la hora intempestiva, muchos vecinos curiosos se habían apiñado para ver qué sucedía. Se podía ver el balcón del cuarto piso iluminado por la luz del comedor.

—Buenas, policía científica. Por favor, dejen pasar —dijo María abriéndose paso entre la gente.

—Ya he pedido al juez el levantamiento de cadáver, llegas un poquito tarde. Se ha tirado del balcón, pobre mujer. No hay nada que investigar —comentó el médico forense.

—Bueno, lo entiendo. No quiero ni molestar ni interferir en su competencia. Solo quiero echar un vistazo al cuerpo y subir a la casa. No quiero dejarme nada en el tintero. Se nos podría pasar algo por alto y no quiero que eso suceda.

—¡Mira la novata, quiere hacer las cosas a la perfección! Seguro que llegas a inspectora —se puso a reír el médico.

María se acercó al cadáver intentando no pisar la sangre del suelo, levantó con cuidado la manta.

La cara se le descompuso y estuvo a punto de desmayarse, aunque intentó disimularlo, se tambaleó un momento, respiró profundamente y se recompuso. El cuerpo de Antonia parecía una marioneta retorcida, las extremidades estaban rígidas de una manera antinatural. Tenía fracturas en todas sus extremidades y la cara estaba totalmente aplastada.

Hizo unas cuantas fotos y se dirigió al portal, a medio camino, se paró y se puso a vomitar.

—¡Cuidado, a ver si vas a soltar la primera papilla! —volvió a reír el médico.

La puerta de la casa estaba cerrada desde dentro, no había sido forzada.

Al entrar, lo primero que le llamó la atención fue la figura de barro en el suelo, hecha añicos. No había señales de que hubiese habido una pelea o un robo. Todo estaba en su sitio y en orden.

Hizo un par de fotos a las estancias, al balcón, al recibidor y la cerámica rota en el suelo. Eso era lo único que desencajaba en toda la casa, pero era algo circunstancial. La pobre mujer tenía cáncer, estaba desesperada, no podía más y decidió poner fin a su miserable vida. Tema resuelto.

La policía se metió en el coche y se dirigió a la comisaría. Durante el trayecto le vinieron varias veces la imagen de Antonia chafada contra el asfalto. Pensó en la desesperación de esta gente que toma el camino tan dramático del suicidio y pensó en el maldito cáncer que termina con tantas y tantas vidas.

Eran las once de la mañana cuando dos policías entraron en las aulas de la universidad preguntando por Marc Metzger. Les indicaron el aula donde estaba estudiando.

—¿Señor Marc Metzger? Policía científica, por favor. Acompáñenos, tenemos que hablar con usted —dijo uno de los policías.

—¿Qué ha pasado? Díganme qué ha pasado y por qué han venido —preguntó Marc visiblemente preocupado.

—Hablaremos en comisaría, de momento no podemos decirle nada, no nos ponga las cosas más difíciles, cuando lleguemos le explicarán todo.

Llegaron a la comisaría situada cerca de la avenida Joan Pou. A Marc le llamó la atención el silencio que había. Parecía una iglesia. Lo metieron en una sala y le pidieron que esperara un momento.

Al cabo de unos minutos, entró María junto con el intendente Ramírez.

—¿Me podéis explicar qué hago aquí? —exclamó Marc bastante enfadado.

—Buenos días, Marc. ¿Tu madre es Antonia Sastre, domicilio Amargura 18, 4, Sineu? —preguntó Ramírez.

—Sí, ¿qué ha pasado? ¿Qué le ha pasado a mi madre?

—Antes que nada quiero que sepas que no es fácil para mí decirte esto. Tu madre se ha suicidado esta noche. Se ha tirado desde el balcón de su piso.

Marc se desplomó en la silla, comenzó a llorar desconsoladamente con las manos cubriéndose la cabeza. No podía creérselo.

—No puede ser. No puede ser. No puede ser mi madre. Yo la vi ayer por la tarde y estaba bien. No puede ser verdad —lloraba Marc.

—Lo siento Marc, lo siento muchísimo, soy María, la policía que tomó acta anoche en el lugar. Sé que es difícil ahora, pero ¿te dijo algo distinto, actuó de manera distinta contigo, ayer por la tarde?

—No, nada. Bueno, me dijo algo que no entendí, pero ahora sí entiendo. Me dijo que iba a hacer algo que traería consecuencias y que tenía que estar preparado. Pero no podía imaginar que fuera esto —continuaba llorando.

—¿Había alguien en su vida que quisiera hacerle daño? —añadió María.

—Nadie que yo sepa. ¿Quién iba a querer hacerle daño a mi madre?

Inspector y policía se miraron. Era evidente el suicidio, la madre se había despedido del hijo esa tarde.

—Lo sentimos mucho. Una cosa más Marc. Acompáñanos un momento, por favor —dijo Ramírez.

Salieron de la sala, Marc seguía llorando, María iba a su lado con la mano en su hombro intentando tranquilizarlo, si es que eso era posible. Bajaron unas escaleras hasta llegar a la planta baja. A la derecha estaban los calabozos. Atravesaron el pasillo hasta el último calabozo.

—Marc, no te acerques a las rejas, es bastante arriesgado —comentó María.

Marc no entendía nada.

Se detuvieron frente a las rejas.

—¡Hola…, hijo mío! —dijo Emil con un tono burlesco.

Emil estaba esposado de manos, sentado al fondo del calabozo. Tenía los ojos muy abiertos, miraba a Marc fijamente y tenía una sonrisa de oreja a oreja. Se le veía muy tranquilo.

Marc se quedó de piedra. Estaba atónito mirando a su padre a través de los barrotes de hierro. No comprendía lo que estaba pasando.

—*Folsom Prison Blues,* de Johnny Cash. ¿La escuchas, hijo? ¿No? Yo sí.

—Os dejamos un rato solos. Supongo que tenéis cosas que contaros. Os damos quince minutos. Marc, no te acerques a las rejas. Tenemos cámaras, pero no te la juegues —dijo el inspector. Marc quería explicaciones, eran demasiadas emociones en tan poco tiempo, y a pesar de ser un chico muy templado, empezaba a notarse nervioso. La noticia del suicidio de su madre lo había dejado grogui, y ahora, al ver a su padre encerrado, le estaba provocando un ataque de ansiedad. Quería respuestas.

—¿Por qué estás aquí metido? ¿Has tenido algo que ver con lo de mamá? ¿Dónde has estado toda la noche? —preguntó impaciente Marc.

—Qué pena lo de tu madre, ¿verdad? Es una pena —dijo con un tono lleno de ironía.

—Yo no tengo nada que ver con lo de tu madre, la pobre quería hacer de Superman y no le salió bien. Esta mujer perdió la cabeza hace mucho tiempo. Se irá de cabeza al infierno. Dios castiga a los necios que se suicidan. Si no nos hubiese abandonado, ahora estaríamos viviendo felizmente y disfrutando de las maravillosas playas de la isla. Pero no, tenía que fastidiarnos y largarse, ¿para qué? En busca de carne fresca que la pusiera haciendo de perrito, seguro.

—¡No hables así de mamá! Maldito, todo esto ha sido culpa tuya por cómo la has tratado siempre —gritó Marc.

—Bueno, supongo que al final todo el mundo recibe lo que se merece. Y tu madre recibió asfalto. —Emil soltó una carcajada.

Marc se enfureció, se acercó a las rejas como haciendo un intento de agarrar a su padre.

—Tienes suerte de estar ahí encerrado, que si no…

—¿Si no qué, niñato? ¿Me matarías? —volvió a sonreír.

—A este punto quería llegar. Antes de que tu madre diese el salto al vacío, la muy guarra, realizó una llamada a la policía. Por lo visto, el día de su infidelidad guardó las ropas ensangrentadas y llenas de jirones del músico en un escondite bajo las maderas del suelo de la habitación. ¡Solo tenía que quemarlas, joder! Acusándome a mí de matarlo. Por lo visto, hace un mes aproximadamente, debido al descenso del caudal del lago, apareció un BMW azul propiedad del famoso músico. Yo no tengo nada que ver con todo eso, pero de momento, aquí me tienen retenido —comentó Emil con mucho sosiego.

—Me alegro, por lo menos la muerte de mamá no ha sido en vano, vas a pagar por todo el dolor y el daño que has causado. ¡Te pudrirás en la cárcel! ¡Te odio!

—Hijo, relájate, te va a dar un ataque. Pudrirme en la cárcel dices, no tengo ni cuarenta años, además, sin cadáver no hay delito. Quizás puedas decirles tú dónde está el cadáver, ¿no es verdad? Seguro que tú te acuerdas mejor que yo —Emil soltó unas fuertes carcajadas.

—Ay, papá, sabrás mucho de carnes, pero de leyes no tienen ni idea. No hace falta un cadáver para culpar de asesinato a alguien siempre que haya unas pruebas claras y suficientes. Todos los vecinos del pueblo sabían que venía todos los días a darme clases de piano. Podían sospechar que algo había entre ellos, tú nunca estabas en casa, las ropas desgarradas y ensangrentadas son una prueba más que evidente y luego el coche hundido en el lago. Mínimo te caen veinte años de cárcel, papaíto, y con la salud de mierda que tienes no creo que vuelvas a ver la calle. Así que, adiós, papá. Que Dios te juzgue cuando te llegue la hora.

Marc se dio media vuelta y se dirigió a la salida.

Rompió a llorar desconsoladamente, pero tuvo mucho cuidado con que su padre no se diera cuenta.

A la salida le esperaban el intendente Ramírez y la policía María Blanco.

—¡Nos veremos, hijo, nos veremos! ¡Puedes estar seguro! —gritó el padre tras las rejas.

—Tu madre descansará en paz, Marc. Debes estar destrozado, tu madre fallecida y tu padre entre rejas. No sé qué decirte, te doy mi número de teléfono por si te acuerdas de algo que me quieras comentar —dijo María.

—No digas nada. Quiero irme a casa, necesito dormir, gracias.

—Lógico, Marc, no te molestamos más. Solo una cosa. Mañana deberías ir a casa de tu madre y recoger sus pertenencias. Descansa y mi más sentido pésame —concluyó Ramírez.

Ramírez sacó de su bolsillo la cartera. Marc pudo ver que tenía muchas tarjetas, algunas de bancos, otras de centros comerciales. Una tarjeta se le cayó al suelo. Marc se agachó a recogerla y pudo leer lo que ponía en ella: «Bastian Groguenc, director comercial», y un número de teléfono.

—Gracias, Marc. A mí ya me cuesta agacharme. Te entrego mi tarjeta de visita. Si tienes cualquier duda o quieres hablar de algo, pégame un toque.

Marc esa noche no pudo dormir nada, inevitablemente la cabeza le daba vueltas a todo lo que había sucedido y cómo de la noche a la mañana se había quedado solo. Pensó en las palabras de la madre y lamentó no darse cuenta antes de sus intenciones. Pero, ¿y si sus palabras iban referidas a la llamada que iba a hacer a la policía? ¿Y si era porque iba a inculpar a su padre del asesinato y por eso le dijo que estuviese preparado porque traería consecuencias? En tal caso, que su madre se tirase al vacío carecía de sentido. Al estar Emil entre rejas, su madre estaría más tranquila y relajada. Eso era algo que le carcomía la cabeza.

Se levantó temprano, tenía muy mal aspecto y se dio una ducha fría con la intención de espabilarse un poco. Tomó una buena taza de café y cogió el coche en dirección a la casa de su madre. No le apetecía nada ir allí, pero no le quedaba más remedio.

Todavía estaba la mancha de sangre en la calle, se lamentó de verla y, estremecido, giró la cabeza. Ya en la cuarta planta, abrió la puerta de la casa.

Lo primero que vio al entrar fue la figura de barro que le había regalado su madre la tarde anterior y que dejó en el recibidor. Ahora estaba en el suelo, como un símil con su madre. El *siurell* había caído del mueble y se había hecho trizas contra el suelo. Se le pusieron los pelos de punta.

Pensó que en algún momento pudo caerse y no le dio más importancia.

La siguiente imagen le dejó helado, sin más atisbo de duda. En la repisa del mueble estaba la pulsera que él le había regalado a su padre en aquel cumpleaños. Era la misma pulsera, con eslabones grandes, de color inox y negros intercalados. Su padre había estado ahí y ahora tenía claro que había sido él quien había matado a su madre lanzándola por el balcón.

Un ataque de ira y desesperación se apoderó de él. Llamó a María.

—Hola, María, la pulsera de mi padre está en la casa. Ha sido él. Él la mató.

—Cálmate, Marc, efectivamente vimos una pulsera en el mueble de la entrada, pero no es una prueba que le pueda incriminar. Eso en un juicio no sería suficiente. Tu madre podría haber tenido la pulsera hacía tiempo. Además, sabemos que él no sabía dónde se alojaba tu madre y hemos corroborado su coartada. Tu padre estuvo toda la noche en un burdel. Lo siento, Marc, eso no nos servirá. Tu madre se suicidó. Deja a tu padre que pague por lo que le hizo a aquel músico —concluyó María.

Marc se quedó callado. Quería continuar dialogando y hacerle entender que la pulsera era indudablemente de su padre. Que en algún momento estuvo en la casa, pero ¿cómo lo probaba? No había forma de comprobarlo. Lo que le estaba diciendo María era verdad, no podía hacer nada. Y eso lo encolerizó.

El 22 de marzo de 1995 se celebró el juicio contra Emil Metzger por el asesinato del músico y compositor Dietrich Haus. Fue declarado culpable y condenado a veinticinco años de prisión.

IV

Noche de San Juan

La academia de anatomía le ofrecía a Marc la posibilidad de desconectar con el mundo, la gente normalmente se evade del mundo haciendo bicicleta, leyendo un libro, acudiendo al gimnasio. Él, aparte de buscar tiempo para hacer todo eso, también iba a los cursos de anatomía.

Le apasionaba, ya era todo un experto en el conocimiento de órganos y tejidos, su padre le había enseñado de manera muy práctica, pero aun así siempre aprendía algo nuevo en cada clase.

Quedaba abducido contemplando el cadáver abierto cuando tenían que hacer una exploración completa. Se preguntaba cómo alguien podía dudar de la existencia de un ser superior viendo esta organización tan compleja de huesos, tejidos y músculos, cómo alguien podía pensar que toda esta estructura podía venir de puras casualidades aleatorias.

La academia estaba situada en una calle céntrica de Palma, en una de sus avenidas principales.

Marc iba a las clases de las cinco de la tarde, por la mañana continuaba con su ciclo de bellas artes en la universidad.

Estaba la posibilidad de estudiar anatomía microscópica o anatomía gruesa, él claramente se decantó por la segunda.

El curso duraba unas dos horas aproximadamente, en la clase había pocos alumnos, eran siete en total. El profesor

Ferrer, un hombre de edad avanzada con larga barba blanca y baja estatura, tres chicas, Joana, Silvina y Eva, y cuatro chicos: Bruno, Carlos, Ralph y él. Joana era una mujer mallorquina de cincuenta años, de pelo moreno rizado, no trabajaba y era madre de familia de dos varones. No pensaba trabajar ya que su marido era piloto y les bastaba con su salario, la cuestión es que tenía demasiado tiempo libre y se entretenía asistiendo a cursos de diversa índole.

Silvina tenía treinta años, era de nacionalidad uruguaya, una mujer encantadora, amable y algo introvertida que siempre hablaba como si estuviera susurrando, los compañeros a veces se preguntaban si es que ellos estaban sordos o en verdad era ella que hablaba tan bajo. Tenía sobrepeso y era bajita, mediría un metro cincuenta y ocho, aunque de cara era una mujer guapa. Su intención al terminar el curso era encontrar un puesto de trabajo de enfermería en algún hospital.

Eva era la más joven de las tres chicas del curso, tenía veinte años recién cumplidos. Había nacido en Ciutadella, Menorca, pero llevaba cuatro años en Mallorca independizada. Mallorca le otorgaba más posibilidades laborales que la pequeña isla vecina. Trabajaba como modelo de fotografía y gracias a su belleza podía presumir de llevar un buen nivel de vida. Era rubia, con un pelo ondulado y largo, tenía los ojos de un color azul intenso, tenía siempre la piel con un tono bronceado pero no exagerado y medía un metro setenta y dos. Siempre estaba de broma con los chicos y era muy risueña. Se apuntó al curso de anatomía para encontrar una salida laboral seria, ella pensaba que tenía muchísimo más potencial que para quedarse únicamente haciéndose fotos, la belleza se va con el tiempo, decía ella.

Marc y Ralph enseguida congeniaron con Eva, la edad, sus gustos, aficiones y forma de pensar eran muy similares.

En cuanto a los chicos, Bruno y Carlos eran dos hombres de edad similar, tendrían unos cincuenta y tres años, se conocían desde prácticamente toda la vida. Habían ido juntos al colegio San Agustín, acabaron los estudios y se pusieron a trabajar de celadores en el mismo hospital. Bruno un día vio el anuncio del curso de anatomía en el periódico y se lo comentó a Carlos. A los dos les pareció muy buena idea implementar sus conocimientos y se apuntaron. Siempre llegaban a la vez, Marc estaba prácticamente seguro de que eran pareja, que llevaban tiempo con la relación por las miradas y los gestos que se dedicaban, aunque Marc no solía equivocarse con estas cosas, sinceramente le daba completamente igual. Bruno y Carlos iban a su rollo.

Las clases solían ser muy amenas, el profesor Ferrer, catedrático en anatomía por la Universidad Complutense de Madrid, intentaba bromear de vez en cuando con los chicos y no aburrirlos con sermones muy extensos. Al profesor le gustaban las clases prácticas y a los alumnos también.

Se basaba únicamente en la anatomía macroscópica, estudiar y analizar las partes del cuerpo mediante la observación directa. Las dividía en cuatro grupos. Estudio mediante endoscopia, un instrumento con una cámara que se inserta en una incisión del cuerpo que permite ver con gran detalle los órganos. La resonancia magnética para la obtención de imágenes de un área específica. La angiografía permite visualizar los vasos sanguíneos al inyectar un líquido, contraste. La disección con el uso de cadáveres. A Marc, el método que más le gustaba era el último. Los otros tres no le hacían ninguna gracia y le resultaban tremendamente aburridos.

Al terminar las clases Marc, Ralph y Eva solían irse a una terraza a tomarse unas cervezas, después de tomarse un par de jarras, Eva se marchaba a su casa y los dos chicos se iban a casa de Ralph para cenar, escuchar música y fumarse unos canutos.

Ralph era un chico muy apuesto, con su pelo negro brillante se llevaba de calle a las chicas. Marc a veces se preguntaba por qué, con el éxito que tenía, no estaba con más mujeres y Ralph siempre decía lo mismo.

—No me gustan las chicas fáciles, prefiero que me lo pongan complicado y tenga que currármelo, además, ahora prefiero centrarme en los estudios —comentaba Ralph.

Marc llevaba barba de tres días, se la recortaba cada mañana para que no le creciera en exceso y entre el gimnasio y su metro ochenta de altura, se había convertido en un chico muy atractivo.

Cuando se juntaban los dos, las chicas se quedaban embobadas con ellos y siempre les decían cosas por la calle.

Era un día raro de verano, había llovido durante toda la mañana barro, el viento había levantado partículas del suelo seco y al llover y mezclarse con las gotas de agua daba origen a una intensa lluvia de barro que dejaba todo de un color marrón claro.

Esa noche era la noche de San Juan, en Mallorca es una noche de fiesta donde la gente se junta en las playas y a medianoche se bañan en el mar y piden deseos, se hacen hogueras para saltar por encima, cenan, beben, escuchan música y se lo pasan bien. Es una noche de purificación.

Los chicos fueron como de costumbre a la clase de anatomía. La clase era de disección y Marc hizo un gesto de excitación.

En el centro del aula, sobre la mesa, se hallaba el cadáver de un joven de diecisiete años que había fallecido por ahogamiento.

El profesor cogió el bisturí.

—Buenas chicos, hoy tenemos aquí a este pobre joven que en vida donó su cuerpo a la ciencia para el estudio. Es una pena que alguien de tan corta edad, que quizás murió virgen, esté aquí, pero así es la vida.

—Pues sí que es una pena, sí, porque el chico no estaba nada mal —soltó Eva bromeando.

—Gracias por el apunte, Eva, continúo. Os quiero enseñar varios métodos para realizar una autopsia, no tiene mucho que ver con lo que estudiáis, pero siempre viene bien saberlo. Esto nos permitirá observar los órganos con gran claridad y analizarlos posteriormente por separado. Empezaremos por la técnica de corte y luego pasaremos a la técnica para la separación de órganos. La técnica de corte que más me gusta a mí es la Virchow, es un corte que va desde el mentón hasta la parte baja del abdomen, rodeando el ombligo. —El profesor realizó el corte en un solo movimiento. Marc quedó impresionado con el trazo tan habilidoso del maestro—. Una vez abierto, pasaremos a la separación de órganos con la técnica Rokitansky, es decir, hacemos unos cortes en lugares precisos para poder extirpar todos los órganos del cuerpo en bloque, a la vez, y diseccionarlos en la mesa de autopsia. Aquí en la mesa los estudiaremos cómodamente. —El profe hizo unas cuantas incisiones en el interior del cadáver y le pidió a Marc que le ayudara a sacar el conjunto de órganos.

En ese momento, Joana empezó a sentirse mal del estómago y tuvo que salir corriendo al baño más próximo.

—¡Quizás no sea el curso más adecuado para Joana! —dijo Ralph. Todos se pusieron a reír. Ferrer acabó la clase devolviendo todos los órganos al cadáver y saturando el corte. Les deseó una feliz noche de San Juan a sus alumnos.

Al salir de la clase, como era costumbre, Ralph, Eva y Marc tenían pensado ir a tomar unas cervezas, pero era la noche de San Juan, era una noche especial. Marc detuvo a todos en la puerta del aula.

—¡Compis, qué os parece si quedamos para ir todos a la playa esta noche! Después de esta clase un poco intensa y desagradable, lo mejor es desconectar. No creo que a Joana le apetezca acostarse con la imagen del profesor destripando al pobre joven de la mesa —comentó con una leve sonrisa.

—Lo siento, Marc, sinceramente. Me pondré a ver dibujos animados en la televisión antes de irme a la cama. Yo no puedo ir a la playa, me está esperando la familia en casa, pero gracias por la invitación. Estoy en otra onda, soy una carroza —sonrió Joana.

—Nosotros tenemos una cena. Con más gente, ¿eh? No penséis en cosas raras —puntualizó Carlos, refiriéndose a Bruno.

Todos se miraron y comenzaron a reírse a carcajadas.

—No pasa absolutamente nada si cenáis juntos, nadie se va a asustar. Además, a lo mejor quiere apuntarse Ralph —dijo Marc.

Ralph le dio un leve puñetazo en el brazo y todos volvieron a reírse.

—Bueno, ¿qué pasa? Voy a ser yo la única que va a ir con Marc y Ralph a la playa. Hay que disfrutar de la vida. Silvina, ¿tú vas a venir, no? Dime que sí, anda, que te voy a espabilar, esta noche triunfas —comentó Eva, alzando los puños al aire.

—No, no. No puedo ir. He quedado con mis padres, se llama Juan, siempre celebramos su santo cenando juntos. Esta noche no podré, pero si quedáis más veces para ir a algún otro sitio, me apunto, ¿vale? A ver si por fin triunfo —respondió Silvina, dando a entender su virginidad a los treinta años.

El resto de chicos aguantaron la risa como pudieron.

—¡Lástima, Sil! Porque ya te digo yo que esta noche te ibas a tropezar con algún que otro pepino de mar —puntualizó Eva.

Salieron a la calle, finalmente solo se quedaron los tres de siempre: Ralph, Eva y Marc.

—¿A qué hora quedamos y lo más importante, dónde? —preguntó Eva.

Mallorca tiene más de quinientos cincuenta kilómetros de costa y cuenta con más de trescientas playas y calas, algunas de ellas consideradas como las más bellas de España.

—Podemos vernos a las diez en la playa de Illetas. Traed algo de cena y no os olvidéis el bañador, que tenemos que saltar las olas. ¿Qué os parece? —preguntó Marc.

—Genial, por mí bien. Tengo un apartamento muy cerca, por la zona de Bendinat. Así que perfecto. Nos vemos en un rato, chicos —añadió Ralph mientras se encendía un cigarrillo.

Marc se marchó a casa, no tenía excesivas ganas de fiesta y menos de pringarse de arena por la noche, pero la idea había sido suya y ahora no había marcha atrás; ya había quedado con los chicos. Subió a la habitación y se puso una sudadera verde con líneas horizontales blancas, el bañador y unas playeras. Todavía era pronto y se sentó en el sofá a mirar la televisión. El canal local de Mallorca, la IB3, estaba dando noticias en esa franja horaria.

La noticia era sobre dos jóvenes que habían desaparecido cerca de la zona de Marivent y Cala Mayor. Se llamaban Sofía y Mónica. Explicaban que las chicas, de dieciséis y diecisiete años respectivamente, habían salido de sus casas el fin de semana anterior sobre las diez de la noche para ir a cenar; en teoría, tenían que coger el autobús, pero por lo visto nunca llegaron a subir. Se les perdió el rastro en la parada y, de momento, no se sabía nada de ellas. La única pista que tenían era una furgoneta amarilla que las cámaras de tráfico captaron antes de la desaparición de las dos chicas.

Las familias estaban desesperadas y ofrecían recompensa a quien pudiese dar alguna información útil.

Marc apagó la televisión, se metió en su Skoda y puso rumbo a la playa de Illetas.

La playa de Illetas es una de las más importantes y turísticas de Mallorca, está situada a unos diez kilómetros de Palma, forma una hermosa bahía con restaurantes y tiendas en los acantilados de alrededor. Tiene unos doscientos metros de largo de arena blanca y sus aguas son de un espectacular azul turquesa. Para acceder hay que bajar unas escaleras y está rodeada de enormes pinos que, según la hora, ofrecen sombra. Fuera de temporada, es una de las playas más concurridas por los amantes que quieren tener intimidad, ya que tiene zonas escondidas y pequeñas calas de difícil acceso.

Eran las nueve cincuenta de la noche. En la parte de arriba de las escaleras estaban Ralph y Eva esperando. Marc se quedó impresionado al ver a Eva, la veía cada día, pero esta noche estaba especialmente guapa. Llevaba un vestido corto de estilo ibicenco de color blanco con un corte en el lateral que dejaba ver sus largas piernas.

Ralph llevaba una camisa de estilo hawaiano y un bañador de color rosa. Siempre le había parecido un poco afeminado, pero esta noche, así como vestía, cualquiera podría pensar que era gay.

—¡Hola, compis! He llegado puntual, no quiero quejas. Habéis venido muy arregladitos para una noche de playa, ¿no?

¿Soy el único que ha venido únicamente a darse un baño? La verdad es que hay un ambientazo, no sé dónde nos vamos a poder sentar —dijo Marc efusivamente.

—Claro, Marc, nunca se sabe dónde vas a encontrar el amor de tu vida. A las doce, al pedir el deseo, te pediré a ti —bromeó Ralph, dándole un achuchón.

Eva no pudo contener la risa.

—Vosotros seguid con las bromas que al final os liais.

—No te preocupes, Eva, Ralph no es mi tipo, te prefiero mil veces a ti que a él. Dejémonos de chorradas y bajemos a la playa, que al final nos quedamos sin sitio.

La playa estaba llena de gente de todas las nacionalidades, algunos habían acudido con un pareo y estaban sentados pasando el rato, otros jugaban con pelotas de vóley sin molestar a los demás. Se veían hogueras encendidas, neveras de playa. Se apreciaba un buen ambiente.

La música sonaba en las radios:

—¡Eva María se fue buscando el sol en la playa…! —cantó Marc.

Eva se le quedó mirando.

—Se me ha ocurrido ahora, alguien me dijo una vez que siempre hay una canción para cada momento.

La zona que estaba más desértica era la más cercana a la orilla. Sabían que cuando se acercaba la medianoche la gente se aglomeraba ahí, pero no les quedaba arena libre. Eva y Ralph extendieron un pareo grande con un mandala estampado. Sacaron los táperes con la cena que se había preparado cada uno y Marc les ofreció una cerveza a cada uno, que aceptaron con agradecimiento.

La temperatura era fresca, a esas horas de la noche los grados caían en picado, soplaba aire frío. Marc estaba encantado con la sudadera que se había puesto. Eva y Ralph empezaban a tener frío y se tapaban con las toallas que tenían preparadas para el baño de después. Estaban dudando seriamente si meterse en el agua con esta temperatura tan baja.

—Ralph, creo que para quitarnos esta rasca de encima vamos a tener que liarnos y entrar en calor —dijo Eva guiñándole el ojo.

—Me gustan más bajitas, Eva, no me lo pongas tan fácil que pierde la gracia. No te preocupes, que queda mucha noche por delante, te voy a poner más caliente que la hoguera de los de al lado. Si nunca has visto un submarino, luego a medianoche entra conmigo al agua y verás uno —Ralph le devolvió el guiño. Los dos se rieron.

—Si queréis podéis acercaros a la hoguera, os irá bien el calor del fuego —les dijo un chico que estaba en un grupo al lado de ellos. La hoguera era de grandes dimensiones y la gente se agrupaba alrededor de ella.

—¿Podemos? Muchas gracias, no pensábamos que hiciera tanto frío por aquí, como durante el día estamos a treinta y cinco grados… Seguramente cuando llevemos cuatro o cinco cervezas más nos sobrará la ropa. Nosotros os ofrecemos como gesto de cordialidad unos canutillos si os apetecen, también tenemos birras.

Conforme los tres amigos se acercaban al grupo de la hoguera, Marc divisó una silueta que le resultaba familiar. Cuando estuvo delante se dio cuenta de quién era.

—Hola Marc, ¿cómo estás? Me alegro de verte por aquí, viene bien desconectar la mente de los estudios, de recuerdos, es bueno rodearse de amigos.

—¡Buenas noches, María! ¡Qué agradable sorpresa! Pensaba que la policía no venía a este tipo de eventos, que siempre estaba intentando atrapar al delincuente. Como si no tuvieseis vida privada —respondió Marc con un tono irónico.

—Pues sí, también nos divertimos y tranquilos, haré oídos sordos a lo de los canutos, cuando no estoy de servicio ni oigo ni veo —sonrió María.

La policía llevaba un vestido corto marinero con escote palabra de honor, con rayas horizontales blancas y azules, una blusa blanca de encaje y unas sandalias playeras. Se había cortado el pelo por encima de los hombros, lo cual permitía ver su bonito cuello. Marc no la recordaba tan atractiva, aunque debido al conjunto de emociones de aquel día, ni siquiera se fijó. El uniforme de policía no le hacía justicia.

—Vaya, veo que aquí ya hay gente que se conoce. Mi amiga se llama Eva, yo soy Ralph, gracias por dejar calentarnos.

Entre chistes, risas, conversaciones acerca de la posibilidad de la existencia de ovnis y chorradas típicas del momento, se hizo medianoche. Los chicos metieron los pies en el agua y pidieron un deseo. Marc, instantes antes de pedir el deseo, pensó en María y la miró.

—Olvídate, Marc —se dijo—. No te conviene complicarte la vida.

Ralph y Eva entraron de la mano, se dieron un beso en la boca y se abrazaron apasionadamente.

Ralph miró a su amigo guiñándole un ojo. Marc le sonrió haciéndole un gesto de aprobación.

El agua no estaba tan fría como podía parecer. En el cielo se podía apreciar un fenómeno poco común, la «luna de fresa». Se la llama así por el periodo de maduración de la carnosa fruta durante el mes de junio. Era una luna llena inmensa, con un tono anaranjado rosado que iluminaba el cielo con su resplandor.

Los chicos volvieron a la hoguera, continuaron bebiendo cervezas y escuchando música.

—Gracias chicos, pero Eva y yo nos vamos a ir. La compañía es muy agradable, pero mañana tengo que levantarme temprano. Ya que estoy, acompaño a Eva, que tiene frío y prefiere irse ya —dijo Ralph.

—¿Ya os vais tan pronto? Quedaros un poco más, no se te va a escapar Ralph, lo que tenéis que hacer lo podéis hacer luego. Abrazaros mucho, ya veréis cómo os entra calorcito. ¿Me vais a dejar aquí solo? —añadió Marc.

—¿Solo? Estás muy bien acompañado, Marc, no seas tonto. Buenas noches —concluyó Eva despidiéndose.

Marc también pensó en irse con ellos. Se lo estaba pasando bien y la compañía era agradable, así que decidió quedarse un rato más.

—Pues al final, se ha puesto una bonita noche ¿No crees, María? —preguntó Marc.

—Sí, la luna es espectacular, la playa, la compañía, ¿qué más se puede pedir? Marc, te quería preguntar si te apetece dar un paseo por la orilla y hablamos un rato.

Marc se quedó sorprendido, le había pillado desprevenido y eso a él no le gustaba. Siempre tenía todo bajo control, esta chica, sin apenas conocerla, ya empezaba a desordenar su cabeza. María era una chica muy inteligente, impetuosa, con mucho carácter, pero encantadora. Al final accedió.

—Claro, vamos a dar un paseo, a mojarnos los pies, si te parece bien.

Se acercaron a la orilla, sentir los pies en el agua del mar a las dos de la noche era agradable, estaba templada y el contraste con la temperatura del aire daba una sensación de confort.

María le cogió del hombro. Marc no hizo ningún gesto de incomodidad.

—Marc, quería preguntarte cómo estabas después de todo lo sucedido con tus padres. Dirás que soy una boba, pero desde que hablamos no he dejado de pensar cómo una persona puede sobreponerse a situaciones tan adversas. Eres joven, te veo muy centrado en tus estudios, en tu futuro. Eres de admirar. Siendo policía me he encontrado casos similares al tuyo, la integridad que he visto en ti no la he visto en ningún otro.

—Gracias, María, si te digo la verdad, llevo el dolor por dentro. Eso estará ahí siempre. Quiero centrarme en sacarme el título de bellas artes y montar una galería de arte, pintar mis cuadros, crear esculturas, vivir de mis creaciones. Mi madre me dio libertad de pequeño para hacer lo que me gustase y nunca me privó de aprender lo que yo quería. Mi padre me metió en la cabeza que fuese carnicero, ¡yo no quería ser carnicero! Es más, se me otorgó la carnicería de mi padre, al entrar él en prisión, y la cerré. Y poco más, no suelo salir, no conozco mucha gente. Ahora mismo tengo entre ceja y ceja la galería de arte. ¡Y espero que vengas a verla! ¿Tú qué tal estás? Analizo bien a la gente, sé que algo te preocupa.

Marc quiso evitar sus evidencias sobre el asesinato de su madre y el odio que le tenía a su padre, simplemente no era el momento de hablar de ello.

—¡Claro que iré, el mismo día de la inauguración! —Sonrió María.

¿Además de guapo, pintor, escultor, educado, eres psicólogo? ¡Lo tienes todo, chico! Sí, me pasan cosas, pero no quiero aburrirte con mi triste vida —dijo la policía con una mueca triste.

—No hace falta que me digas nada, me lo puedo imaginar. Sientes que no te dan las suficientes oportunidades en tu puesto para demostrar lo que vales. Tienes mucho potencial, tus superiores te ponen frenos y tú lo que quieres es una oportunidad, aspiras a llegar lejos, subir escalones y llegar, ¿por qué no?, a ser inspectora. Tranquila, tu momento llegará. Lo sé.

María se quedó perpleja. Sin ella decirle nada, este chico había explicado todo lo que ella sentía.

—Pues me dejas sin palabras, Marc, ya lo has dicho todo. Tengo una sensación muy extraña contigo, parece como que te conociera de antes.

Se detuvieron uno frente al otro. La luna llena de fresa resplandecía en el cielo. *Fly me to the Moon*, a Marc se le vino esa canción a la cabeza. Tenía una sensación muy placentera, le daba paz. La luz tenue sobre la cara de María le provocaba una belleza especial. La policía se acercó un poco más a él.

—María, perdona, tengo que irme. Se ha hecho muy tarde, mañana me levantaré temprano. Será mejor que volvamos.

María se incomodó, aunque no le dio mayor importancia. Entendió que no era el momento.

—¡Claro! Hace frío, volvamos, yo también quiero irme a casa —contestó María sin mostrar disgusto alguno.

Los dos chicos volvieron donde estaba el grupo de la hoguera y se despidieron con el convencimiento de que volverían a verse.

Marc conducía el coche camino a casa. La visibilidad era buena, casi parecía de día. No dejaba de pensar en María, le gustaba de verdad, era una chica con la que valía la pena intentar tener una relación. Le hubiese gustado besarla, pero por una vez la razón pudo con el corazón. Ni podía ni quería tener pareja en estos momentos, y el mayor escollo era que ella era policía.

Entre el paseo y la charla se habían hecho las tres de la mañana. No se veía a nadie por la calle, a pesar de ser noche de fiesta. No había recorrido un kilómetro cuando vio un coche apeado en la cuneta. Lentamente se acercó. No se veía que hubiese sufrido ningún accidente, la zona era arbolada y no había casas alrededor. Se paró justo detrás. El vehículo en cuestión era una furgoneta de empresa de color amarillo, tenía un logotipo de color rojo que ponía «PINTURAS GLOBALES, para todos los locales». Marc pensó que era una basura de frase. Salió del coche y, al momento, dos ocupantes de la furgoneta salieron.

—Hola, ¿va todo bien? ¿Habéis tenido un accidente o tenéis la furgoneta averiada? Os puedo echar una mano si necesitáis ayuda —dijo amablemente.

—No, gracias, solamente estamos descansando. Hemos trabajado hasta hace nada y empezábamos a dormirnos, así que hemos preferido parar un momento. No te preocupes, sigue tu camino.

A Marc no le gustó nada el aspecto de los dos hombres. Llevaban ropas oscuras y pelo largo. Tenían mala cara, no llevaban uniforme de pintor y, para haber estado trabajando, iban demasiado limpios; o eran los pintores más limpios del mundo o estos dos tenían de pintores lo que él de astronauta. Uno de ellos era alto y el otro bastante bajo. No llegaría al metro sesenta y cinco.

—Vete, tranquilo. Todo está bien. Vete —insistieron.

De repente, escuchó unos golpes en el interior de la furgoneta.

—Este perro no se está quieto, no le gusta nada estar en la furgoneta —dijo el más alto de ellos. Los golpes sonaron con más fuerza.

En ese instante, Marc recordó la noticia de las chicas secuestradas, la pista de la furgoneta, dijeron que era de color amarilla.

—Chicos, me decís que sois pintores, no tenéis ni una mancha, que venís de pintar a estas horas y lleváis a un perro en la furgoneta que no para de golpear la puerta. ¿Me podéis enseñar a vuestro sabueso? Abridle la puerta, que salga un rato.

—Pero tú, ¿quién te crees que eres? ¿El jefe de la policía? Será mejor que te vayas si no quieres acabar tirado en un matorral.

Se acercó al portón trasero con la intención de abrirlo. El más bajo de ellos se plantó delante de él y lo detuvo.

Marc lo apartó con un fuerte empujón, y con un rápido movimiento consiguió abrir la puerta de atrás de la furgoneta.

Lo que vio en el interior del vehículo le dejó paralizado.

En el suelo de la furgoneta estaban las dos chicas amordazadas con cinta americana, atadas de pies y manos con bridas y con signos claros de haber sufrido violencia. Estaban vivas, pero no les quedaba mucho tiempo.

El hombre del suelo se incorporó y se abalanzó hacia Marc. Gracias a su gran agilidad hizo un movimiento rápido y se apartó, le propinó un potente golpe en la nuez y el hombre cayó al suelo. El hombre alto de larga melena sacó una navaja de tipo estilete de su bolsillo, se dirigió hacia Marc apuntándole con el arma blanca.

—¡Vas a morir! ¡Te voy a meter una puñalada que voy a levantarte dos metros del suelo, hijoputa!

Marc era mucho más rápido que ese tipo tan corpulento. Por fuerza acabaría muerto, pero por velocidad podría con él. El hombre rudo intentó lanzarle un navajazo, Marc lo esquivó y golpeó el brazo donde agarraba el arma blanca. La navaja cayó al suelo. El hombre cogió a Marc de la cintura y lo tiró. Lo tenía completamente sumiso. Estaba tumbado en la calzada de la carretera, tenía al grandullón sobre él, no podía quitárselo de encima.

Pensó que había llegado su hora, se acordó de su madre y le vino un súbito pensamiento: «Pronto estaré contigo, mamá», quien le mandaba meterse donde no le llaman, pero no podía evitarlo. Tenía las manos del enorme «pintor» en su cuello, empezaba a sentir la asfixia, le faltaba el aire. En un último movimiento con los brazos encontró la navaja en el suelo. La cogió y se la clavó en la yugular, las manos del gigante empezaron a perder intensidad, la sangre empezó a salir a borbotones. El hombre cayó muerto sobre él, finalmente Marc se pudo levantar tras un gran esfuerzo, y aun así estuvo varios minutos intentando coger el aire suficiente para recuperarse.

Se acercó al otro hombre. El golpe en la nuez le había provocado el aplastamiento de la tráquea y la laringe, el hombre estaba convulsionando por falta de aire. Marc cogió la navaja y le rebanó el cuello.

—No quiero que sufras, pequeño pintor.

La pelea le había dejado dolorido. Había recibido varios golpes, pero con la adrenalina por las nubes no se había dado cuenta del dolor en el hombro, en la cadera y en la rodilla izquierda que tenía ensangrentada al haberse rasgado contra el asfalto.

Se sentó un instante en el borde de la calzada, tenía que pensar bien lo que tenía que hacer. El escenario era dantesco, la carretera estaba teñida de un rojo oscuro iluminado por la luna rosa, los dos hombres yacían en el negro asfalto y en la furgoneta estaban las dos chicas secuestradas.

«Las chicas», pensó. «Primero ellas. Ya veremos qué hacemos luego».

Se dirigió a la furgoneta, una VW T3 de 1987 en muy buen estado. En el interior había botes de pintura, rodillos, pinceles y plástico protector para no manchar el suelo cuando se aplica la pintura. A las dos jóvenes les quedaba muy poca energía, prácticamente no tenían fuerza para intentar soltarse, tenían la cara hinchada, seguramente por golpes, tenían heridas en las muñecas y en los tobillos del roce de las bridas, la cinta americana les impedía respirar correctamente. Marc se fijó en la vestimenta. Las dos chicas llevaban minifalda, la tela estaba rasgada, se veía la ropa interior y por las ingles les asomaban manchas de sangre y moratones.

Evidentemente, eran claros signos de violación. Marc cogió la navaja con la que acababa de matar a los dos violadores y cortó las bridas. Con mucho cuidado les quitó la cinta americana de la boca. Intentaron hablar, pero no emitieron sonido alguno, no les quedaba un ápice de energía.

Marc fue al coche, cogió una botella de agua, siempre llevaba una, volvió a la furgoneta y se la dio a las chicas. Cogió varios botes de pintura de la furgoneta y un par de pinceles y los metió en el maletero de su Skoda.

—Chicas, siento mucho lo que os ha pasado. Estos dos no volverán a hacer nada más —dijo brevemente antes de irse.

De vuelta al coche, cogió al pequeño de los pintores y lo envolvió en el plástico protector. No pesaba mucho y lo puso con relativa facilidad en el maletero. Con el gigante lo tuvo un poco más difícil, lo tapó con el plástico y, arrastrándolo, lo llevó hasta el coche. Debido a su gran tamaño no cabía en el maletero, ni lo intentó, abrió las puertas de atrás del coche y lo metió, no sin dificultad. Necesitó unos minutos para recuperar el aliento. Por suerte, durante todo este tiempo no había pasado nadie por la carretera.

Antes de meterse en el coche echó de nuevo un vistazo a la furgoneta, las chicas se estaban incorporando. Llamó a la policía con número oculto.

—Buenas, en la carretera Andratx, kilómetro 1,5, hay una furgoneta amarilla con dos chicas en su interior. Por favor vengan rápido, están heridas.

—¿Me puede dar más información? ¿Cómo se encuentran las chicas, están conscientes? ¿Ha sido un accidente? —preguntaron desde la otra línea.

—No, ha sido un secuestro. —Marc colgó.

María llegó a la comisaría a las ocho de la mañana, casi se había quedado dormida; durante la noche le dio vueltas a la conversación con Marc, ese chico le gustaba y lo admiraba a partes iguales. El inspector Ramírez la estaba esperando en la puerta principal.

—Buenos días, María, te estaba esperando. No he querido despertarte antes porque entiendo que uno tiene su vida privada y anoche fue noche de juerga. Una buena «juerga» se montó cerca de la playa en la carretera de Andratx. Al parecer apareció la furgoneta amarilla con las chicas secuestradas en su interior. Están malheridas, pero por suerte, están vivas. Una llamada anónima alertó a los compañeros. De los conductores no tenemos ni idea de dónde pueden estar. No había nadie más allí. Lo único que había era una gran cantidad de sangre en el asfalto. De momento las jóvenes no han podido decirnos nada, están siendo atendidas en el hospital. Han sido violadas y torturadas.

María se detuvo frente al inspector y lo empujó contra la pared. Fue un empujón suave pero contundente.

—Que sea la última vez que pasa algo de esta relevancia y no se me avisa sea la hora que sea. Mi prioridad es mi trabajo. ¿Le queda claro, inspector? —le reprochó María. Aparte de esto, que me imagino que ya hay compañeros investigando el caso, ¿por qué me estabas esperando?

El inspector miró de arriba a abajo a la joven policía, le gustó que sacara ese carácter, no se lo esperaba y le sorprendió gratamente.

—La verdad, María, no le he dado el caso a nadie, quiero que lo lleves tú. Ha llegado un sobre en secretaría, un portador lo ha dejado y no nos ha dado ninguna información. En el sobre está escrito tu nombre. Tienes que abrirlo. Los compañeros del TEDAX lo han revisado y no hay peligro. Nos avisarán desde el hospital cuando las chicas estén en condiciones de testificar. Vamos, no hay tiempo que perder.

María se quedó desconcertada. Un caso importante para ella. ¿Un sobre? No entendía nada, pero sabía que era una oportunidad para demostrar su valía y no quería desaprovecharla. Entraron en el despacho del inspector. El sobre estaba encima de la mesa: «PARA MARÍA BLANCO». La joven policía se sentó en la butaca de cuero.

Abrió la carta con cuidado y lentitud. La carta era muy escueta.

39,5352462   2,5904493

—¿Qué mierda es esto? —preguntó el inspector.

—Son coordenadas decimales. Tenemos que ir a ese lugar que nos indica, latitud y longitud. No perdamos ni un segundo, que vengan varias patrullas con nosotros y vayamos preparados para encontrarnos cualquier cosa —respondió María.

La mañana era muy cálida. El verano se presentaba más caluroso de lo normal y el inspector Ramírez era una persona que sufría hiperhidrosis, exceso de sudoración incluso sin temperatura elevada ni actividad física. Las coordenadas de la carta indicaban un lugar muy cercano a la playa donde María estuvo la noche anterior. Ese dato prefirió obviarlo y no le comentó nada al inspector, le pareció simplemente una casualidad.

Varios agentes habían llegado antes que ellos. María bajó del coche apresurada, estaba intrigada por lo que podía encontrar y quería dejar de oler el sudor del inspector que empezaba a mojar el asiento del coche.

El lugar era una cala rocosa muy pequeña, rodeada de pinos que ocultaban chalets de lujo, había apenas cuatro metros cuadrados de arena blanca. A María le pareció un sitio muy bonito para pasar una tarde de verano aunque la idea de esa idílica tarde se le fue rápidamente de la cabeza al ver lo que había en la arena.

Los cuerpos de dos hombres desnudos aparecían empalados desde el orificio del ano hasta la boca, donde asomaban los postes blancos metálicos de unas sombrillas. Les habían cortado los genitales y se los habían puesto en las manos. La imagen era espantosa, lo que más llamaba la atención era que estaban completamente pintados de blanco y sobre el blanco, líneas rojas y verdes.

—*Siurells.* Aquí tenemos a los secuestradores. Alguien se ha tomado la justicia por su cuenta —dijo María—. Que busquen huellas, a ver si encuentran algo, aunque lo dudo.

El inspector recibió una llamada desde el hospital.

—María, las chicas están en disposición de declarar. Fueron violadas repetidamente. El que ha hecho esto sabía lo que les había pasado a las jóvenes. Tiene que ser el mismo que llamó anoche avisándonos. Vayamos a verlas, quizá nos den alguna pista.

No se encontraron huellas, no tenían ninguna pista sobre quién podía haber matado a los secuestradores. Las dos jóvenes estaban muy aturdidas y desorientadas en el momento en que fueron rescatadas y no recordaban prácticamente nada. Sofia, la joven de dieciséis años, les aseguró que lo único que pudo ver fue una sudadera verde con rayas blancas. Nada más.

—No sé quién es, pero si lo averiguan, por favor, me gustaría conocerlo y darle las gracias. Nos salvó la vida, es nuestro ángel de la guarda. —A Sofia se le cayó una lágrima por la mejilla.

—Ese hombre está buscado por asesinato —comentó Ramírez.

—¿Asesino? Ese hombre es un héroe. Tendrían que hacerle una escultura y exhibirla en el centro de la plaza mayor con una placa a los pies que dijera: «Mató a dos violadores» —dijo Mónica.

María se quedó pensativa, sudaderas verdes con rayas blancas había muchas.

V

Ses mantançes (las matanzas)

26 DE FEBRERO DE 2006

Gris perla. Ese era el color de las paredes donde el padre de Marc llevaba encerrado once años. Emil conocía cada desperfecto, cada irregularidad de las paredes de su celda, estaba cansado de ver el mismo color, prefería cerrar los ojos y pensar en todo lo que haría cuando quedase libre. Se acordaba de su pueblo natal, Schiltach, de sus bosques, de sus lagos. Quería volver allí y muchas noches, al cerrar los ojos, lo hacía. Eran sueños recurrentes. Estaba en su casa de Alemania, bebiendo cerveza, la noche era fresca pero agradable y salía al porche para ver las estrellas y ahí sentada en una mecedora de madera de roble estaba Antonia. Se besaban y a lo lejos veían acercarse a Marc, que venía corriendo mientras gritaba: «¡Ya estoy en casa, tengo mucha hambre!». Emil maldecía despertarse cada vez que tenía ese sueño. La vida que nunca tuvo, su sueño incumplido.

Quería aprovechar al máximo el tiempo que le quedaba. Respirar aire puro de la montaña, sentir el olor del mar o de la tierra mojada, para él eso ahora mismo eran auténticos placeres de la vida. A menudo pensaba en todos los actos macabros que marcaban su vida hasta el punto de estar entre rejas, «sus pecados», como él decía.

Llevaba unos años estudiando teología. En la prisión le habían dado la oportunidad de estudiar una carrera y Emil no se lo pensó dos veces en elegir la carrera eclesiástica. Al salir de allí quería divulgar la fe, ser docente en institutos y educar a través de la palabra de Dios. Tenía la convicción absoluta de que había sido elegido para ello.

Cada mañana al despertarse leía el periódico, le llamó la atención un anuncio:

SE TRASPASA CARNICERÍA.

Emil se levantó de inmediato y llamó a un guardia.

—Necesito hacer una llamada, tengo que llamar a mi hijo, ¡tengo que verle!

Marc tenía una mañana muy ajetreada, a primera hora había quedado con un posible comprador para la carnicería. El negocio le estaba aportando muchísimos beneficios, pero también le obligaba a estar muy pendiente y perder muchas horas de su preciado tiempo. Tenía demasiadas cosas en la cabeza, a veces pensaba que ya no le cabían más y quería enfocar su futuro en otros temas. Él ya no iba casi nunca, solo aparecía para revisar los albaranes, cuadrar las cuentas y comprobar que todo estaba en su sitio. Había contratado a Joan para que le llevara la carnicería.

Joan era un mallorquín muy experimentado con una amplia vida laboral en el negocio de la carne. Era un hombre de pueblo, nacido en Artá, desde niño se dedicó a ayudar a su padre en el campo y era un trabajador incansable. Aunque tenía un visible sobrepeso, pocas veces se quejaba del arduo trabajo. Marc y Joan se habían conocido en Llubí, tres años atrás, una fría mañana de invierno cuando los dos asistieron a una de las fiestas más ancestrales y emblemáticas de las islas: las matanzas mallorquinas.

El hombre con el que había quedado para el traspaso de la carnicería era un empresario francés, Bastian Groguenc, directivo de una empresa comercial dedicada al servicio de la alimentación. Bastian era un hombre de cincuenta y cinco años con una soberbia por las nubes. Tenía más que suficiente con su salario como director, pero la codicia era uno de sus pecados capitales. Para Marc, eso era una ventaja porque si a otro interesado podía pedirle un importe por el traspaso del local, al señor Bastian le iba a pedir el doble.

Eran las ocho de la mañana, Marc había llegado unos minutos antes a la carnicería, suponía que Bastian no tardaría mucho. Joan estaba en el mostrador, impoluto, los cristales eran casi inapreciables de lo limpios que estaban, el escaparate estaba lleno pero no apiñado, con todos los letreros y precios ordenados. El local estaba muy limpio y la carne se veía fresca. Realmente, apetecía comprar.

—Buenos días, Joan, ¿qué tal estás? —saludó mientras entraba en la carnicería—. La tienda está impecable. Estoy muy orgulloso de que lleves la tienda como la llevas, pero tenemos que hablar. —Joan dio un sobresalto.

—Voy a traspasar la carnicería, no puedo dedicarle más tiempo. He venido porque he quedado con un empresario que quiere el local. Puedes estar tranquilo porque en el contrato voy a poner como condición *sine qua non* que tú debes mantener tu puesto de trabajo.

—Vaya, Marc, no me lo esperaba. Estoy muy a gusto aquí y no me gustaría tener que irme a otro sitio o quedarme en el paro. Me apena que me deje, pero entiendo perfectamente su decisión —comentó Joan con aire preocupado.

En ese momento apareció en la puerta del local un hombre alto, de un metro ochenta y cinco de altura, corpulento. Llevaba un traje azul de una prestigiosa marca italiana, en la muñeca un reloj suizo con esfera verde.

—Buenos días. ¿Es usted Marc Metzger? —preguntó con una entonación francesa muy marcada.

—Buenas. Sí, soy yo. Usted debe ser Bastian Groguenc. Pase y le enseño el local. Le presento a mi compañero Joan, él es el encargado de la carnicería y quien realmente lleva todo —respondió Marc con voz seria.

Estuvieron durante media hora viendo el local, el almacén, la mercancía, Marc le explicó por encima la forma en que estaban trabajando para posteriormente pasar a la oficina.

—Siéntese, señor Groguenc, póngase cómodo. Como verá, la tienda está en una zona inmejorable, el mercado del Olivar es un lugar de mucho tránsito donde, a lo largo de los años, se ha convertido en una zona de referencia. Tenemos una clientela fija, tanto clientes particulares como restaurantes. La facturación está alrededor de los quinientos mil euros anuales, como ha podido comprobar en las cuentas que le he enseñado. No me voy a andar con rodeos, por el traspaso pido doscientos mil euros, en medio año lo ha recuperado. Por supuesto, mi compañero Joan seguirá en la tienda como encargado, si le parece bien, firmamos el contrato esta misma tarde —concluyó Marc.

—Marc, me estás tomando el pelo y eso no me gusta —replicó el francés—. El precio es muy elevado, la tienda es una porquería, el mísero empleado que tienes, al que tú llamas «compañero», está más gordo que las vacas de mierda que vendéis aquí. No entiendo cómo abres un negocio a las ocho de la mañana cuando seguramente abriendo a las seis, a las ocho ya tendrías la mitad de la venta del día hecha. ¿Y doscientos mil euros? ¿Qué piensas que eres? ¿Una multinacional de comida rápida? Tampoco tienes reparto a domicilio, menudo empresario. Mira, si quieres firmamos ahora mismo por cien mil euros, pero te aviso, tu compañero se va fuera —dijo Bastian con un tono elevado mientras hacía aspavientos con los brazos.

Marc se puso de pie, estar a su altura era una forma de no darle protagonismo al francés.

—¿Sabe qué le digo, Bastian? Que puede darse media vuelta y salir por donde ha venido. Coja su ego, su prepotencia, su traje de mil euros, su reloj de diez mil y salga de aquí ahora mismo. ¿Que se ha puesto lo mejor que tenía para demostrarme su poder adquisitivo? Hacía tiempo que no me topaba con alguien tan déspota como usted.

—¿Cómo te atreves a venir a mi casa y hablarme de esta forma? Peor aún, hablar así de mi compañero, sí, señor, compañero y amigo Joan, solo porque tenga sobrepeso. Señor Groguenc, usted sabrá mucho de economía, de dirección de empresa, tendrá su licenciatura, pero de modales sabe bien poco. Adiós, me molesta mucho que me haya hecho perder el tiempo.

—Espera, Marc, espera. Quizás podamos llegar a un acuerdo con ciento cincuenta mil euros —respondió Bastian visiblemente desconcertado.

—Ni por trescientos mil le traspaso la tienda. Estará acostumbrado a tratar así a sus empleados, pero conmigo se ha equivocado —finalizó el joven.

Bastian Groguenc se dio media vuelta y salió por la puerta del local, notablemente disgustado.

—Entonces, ¿tengo nuevo jefe? —preguntó Joan al ver salir a Marc de la oficina.

—No, no. Creo que no voy a traspasar el local de momento. Seguiremos como hasta ahora.

—Me alegro, jefe, no me daba muy buena pinta este hombre.

—Joan, ¿te acuerdas de las matanzas del año pasado en Llubí? Este fin de semana vuelven a hacerlas, me han invitado. ¿Quieres acompañarme? —le preguntó Marc.

—Estaré encantado de acompañarte, me encantan, jefe. Gracias, jefe.

—Perfecto, pues el domingo nos vemos aquí a las seis de la mañana. Una cosa más, Joan. No me llames jefe.

—Vale, jefe. Digo Marc. —Rieron los dos.

Marc salió en dirección al aparcamiento; el encuentro con el empresario francés le había alterado, tenía las pulsaciones más elevadas de lo normal y le sudaban las manos. Se dio cuenta de que prácticamente estaba corriendo en lugar de andar y se detuvo. Vio una cafetería y decidió sentarse, tomar aire y pedir un refresco de limón. Había pocas cosas que odiase más que la gente impertinente, ese tipo de gente que se cree superior por el mero hecho de tener un buen puesto de trabajo y tener gente a su cargo, el tipo de gente que te mira siempre por encima del hombro y se cree poseedora de la verdad. Se sentó cerca de la puerta y miró detenidamente a la gente que pasaba deambulando calle arriba. Cada persona tenía una historia, pensó. Cada persona que pasaba tenía una vida, quizás más fácil, quizás más difícil, al fin y al cabo, una historia. Él tenía la suya y la verdad es que viéndolo con su camisa azul de Ralph Lauren y sus gafas de aviador, nadie diría por todo lo que había tenido que pasar. Le parecía muy injusto prejuzgar a alguien sin antes haber tenido la voluntad de conocer «la historia de cada uno». Fue a dar el primer sorbo al refresco de limón cuando le sonó el teléfono.

—Señor Marc Metzger, le llamo de la prisión. Es referente a su padre, nos ha pedido reiteradamente que quería hablar con su hijo. Nos ha dicho que si no lo veía hoy, se golpearía la cabeza contra la pared de la celda las veces que fueran necesarias hasta destrozársela, que estaba harto de ese mugriento color gris. Y créame, es capaz de hacerlo. Avíseme antes de venir. Gracias.

A Marc no le apetecía nada volver a ver a su padre. Hacía mucho tiempo que no lo veía, solamente lo había visitado una vez estando en la cárcel y fue porque Emil tenía que firmar unos papeles para que Marc pudiese convertirse definitivamente en beneficiario de todos los bienes familiares, pero tampoco le apetecía verlo pintando de rojo las paredes de la prisión con su cráneo, y estaba seguro de que si no iba a verlo, lo haría.

La autovía en dirección a la cárcel estaba colapsada, hacía varios años que en Mallorca sobraban coches o faltaban carreteras. Las autovías en Mallorca son pequeñas y los accesos a ellas provocan retenciones de tráfico. Hoy no era un día especial, el atasco se extendía hasta dos kilómetros a lo largo de la autovía MA-20 en dirección Andratx.

Cuando Marc rebasó la salida de Inca se dio cuenta de que las retenciones eran debidas a un accidente de tráfico entre dos coches y una moto. Había dos ambulancias, un equipo de bomberos y varios policías. El motorista estaba tendido en el frío asfalto, completamente cubierto por una manta térmica metálica. Muy próximo al cuerpo se podía ver un charco de un rojo falun intenso.

Tomó la salida del hipódromo de Son Pardo en dirección al centro penitenciario. Al llegar al recinto le abrieron de inmediato la barrera de acceso con coche, en la puerta le estaba esperando el director de la cárcel.

El señor David Bonnin era un hombre corpulento, debía medir cerca de un metro noventa, tenía algo de grasa acumulada por los años y por la falta de práctica deportiva. Hacía veinte años que no había pisado un gimnasio y ya estaba a punto de cumplir los cincuenta y cinco, pero se notaba que en sus años mozos debió haber sido un hombre musculoso. Su apariencia recordaba a un vikingo. Su rostro mostraba rasgos muy serios, rara vez sonreía, sus movimientos eran muy lentos y controlados. El puesto de director de la prisión le quedaba perfecto.

—Buenas, señor Metzger. Soy David, director del centro. Acompáñeme, su padre quiere verlo sin falta. Normalmente hacemos caso omiso a estas exaltaciones, son simples llamadas de atención. El señor Metzger estaba fuera de sí, se ha golpeado varias veces la cabeza contra la pared. Entre cuatro funcionarios han conseguido pararlo, pero estaba muy furioso. Lo único que gritaba era que quería ver a su hijo. Ahora le hemos administrado una inyección de midazolam, lo tenemos en la sala de visitas con las manos atadas con correas a la silla. Estaremos fuera, pero lo vigilaremos en todo momento. Y sobre todo, evite acercarse a él aunque se lo pida. ¿Lo ha entendido todo?

Marc estaba perplejo, le corría un hormigueo por todo el cuerpo y empezaba a notar la frente húmeda por el sudor frío que comenzaba a aparecer. Pocas veces había tenido esa sensación, ese sentimiento de angustia. Miedo.

David le mostró la puerta de la sala. Marc prudentemente entró.

La sala era fría, parecía una cámara frigorífica en lugar de una habitación para conversar. Era amplia y únicamente había una mesa central y dos sillas. En una de ellas estaba sentado Emil. Su deterioro físico era tan acusado que hasta a Marc le costó reconocerlo.

Había perdido casi todo el pelo, en la parte alta de la cabeza estaba totalmente calvo y en los laterales los pocos pelos que se le veían eran de color plata brillante. Tenía los ojos hundidos, esos ojos azules que antaño irradiaban luz cuando te miraban habían perdido toda la intensidad sobre unas ojeras pronunciadas y muy marcadas. La piel era pálida como la de un fantasma debido a la ausencia de luz solar que le pudiese broncear como hacía tiempo atrás. ¿Realmente sería un fantasma? No, era de carne y hueso y era su padre. O lo que quedaba de él.

Estaba en los huesos, debía pesar cincuenta kilos como mucho, y ese peso para su altura era poquísimo.

—¡Hola querido hijo mío! —dijo Emil pausadamente. Su entonación era relajada, la medicación había hecho efecto—. Te he echado de menos, tenía muchas ganas de verte. ¿No te da vergüenza estar tanto tiempo sin ver a tu padre? Mírate, qué mayor estás. A punto de licenciarte, disfrutando de la vida y de todo el dinero que tanto me costó ganar.

—¿Qué quieres, papá? ¿Por qué has montado todo este escándalo? ¿No estás cansado de tanto circo?

—Marc, Marc, Marc… cuando después de una vida de trabajo, penurias, sufrimiento y traiciones, te das cuenta de que estás a punto de perderlo todo, créeme, cualquier espectáculo es pequeño. Y la traición más grande, la tuya, la que estás a pocos días de cometer. Tú madre ya me la jugó y sabes perfectamente cómo acabó. Tú madre, loca como una cabra, y el amante… ya sabes, el amor le partió el corazón por la mitad. No hagas lo mismo que ellos y conserva lo que te entregué con tanto amor. ¿No querrás acabar como ellos, verdad? Te aconsejo que mantengas la carnicería. Solo eso. —Sus palabras seguían siendo calmadas.

—¿Cómo te atreves a decirme esto, a amenazarme? ¿Tú te ves en la situación en la que estás? Me da asco tu palabrería y no te das cuenta que ya no soy el niño aquel del granero que hacía caso a cualquier cosa que me dijeras por el miedo que te tenía. Tenía pánico a que me pegaras por cualquier cosa cuando llegabas borracho a casa o a que maltrataras a mamá. Ya te dije varias veces que dejaría el local, no me voy a dedicar a esto. En poco tiempo montaré mi galería de arte y, muy a tu pesar, estoy seguro de que me irá bien. De pequeño tenía un sueño y estoy muy cerca de cumplirlo. Gracias al dolor que me has causado, me he hecho fuerte. —Marc estaba visiblemente alterado, su voz se le entrecortaba y sus manos temblaban y empezaba a estar bastante molesto. La situación le sobrepasaba—. Además, vas a pasar muchos años aquí, no creo que cuando salgas te queden fuerzas para ningún alarde de valentía.

Emil empezaba a notar el nerviosismo de su hijo.

—No te creas que me queda tanto, hijito, me estoy portando muy bien aquí dentro. Me estoy sacando la carrera de teología y si todo marcha como hasta ahora, me reducirán la condena por buen comportamiento. ¡Si es que soy un angelito! Recapacita y sigue con el negocio familiar. Cuando salga, estaré para ayudarte. —En ese momento, Emil se alteró. Su musculatura se puso tensa, preparado para la respuesta que sabía que iba a escuchar—. Olvídalo, tu utopía de negocio acaba conmigo —respondió Marc al tiempo que se levantaba de su silla.

Emil comenzó a agitar los brazos intentando zafarse de las correas que tenía en sus muñecas. Dirigió su boca hacia la mano derecha y empezó a morder y rasgar las cintas. Lo hacía con tanta virulencia que varios dientes salieron volando. La sangre brotaba de su boca abundantemente, pero eso no le impidió romper la correa. Se soltó la correa de la mano izquierda y, con el rostro lleno de ira y sangre, se abalanzó contra Marc.

Los funcionarios entraron justo a tiempo para detenerlo.

—¡Y después de que hayan sufrido dolor un poco de tiempo, Dios mismo los restaurará y los hará fuertes, firmes y estables! ¡De nada, hijo! Así me lo agradeces. Nos veremos antes de lo que piensas. Ten cuidado dónde pisas o dónde te asomas, no vayas a resbalar y caerte —gritó Emil.

Marc salió rápidamente de la sala. Sentía el corazón que se le salía del pecho. Había hecho cosas que para el resto de los mortales eran repulsivas, pero enfrentarse a su padre era como pasar al siguiente nivel en el juego y que te tocase la última pantalla, la lucha contra el gran jefe.

Llegó a su casa de Génova muy exaltado, hacía poco que se había comprado la vivienda, más concretamente, hacía pocos meses que había finalizado el pago del chalet. Durante estos años atrás, Marc estuvo realizando pagos a varias empresas de construcción para la edificación del chalet. Fueron tiempos complicados y de muchos quebraderos de cabeza. El día que Ralph le comentó que un amigo vendía un terreno en la zona alta de Génova, Marc no tardó en ir a visitarlo y al día siguiente le realizó el ingreso que pedía por él.

La ubicación era ideal. Génova estaba a poca distancia del centro de Palma y, aun así, gozaba de un ambiente tranquilo y sobre todo discreto.

En poco tiempo, comenzaron las obras para edificar la casa, tuvo varias vicisitudes al respecto, ya que la burocracia en Mallorca con el tema de la construcción en terreno rústico es muy inflexible, pero Marc pudo solucionarlo con las administraciones a base de sobres repletos de billetes.

Abrió la vinoteca, sacó una botella de tinto Roda I reserva del 2005 y se sirvió una copa. Se sentó en su butaca frente a la vidriera, su lugar favorito de la casa, y contempló el paisaje. Estaba completamente nublado, el cielo era oscuro aunque llegaban a divisarse las cimas de las montañas. Un poco más a la derecha, el puerto y las luces de los barcos amarrados.

Estuvo allí hora y media, cuando apenas le quedaba un cuarto de botella, sonó el teléfono.

—Buenas, Marc, ¿qué haces? ¿Te acuerdas que habíamos quedado para salir a tomar algo?

—Hola, Ralph, perdona, pero no he tenido un buen día. He ido a ver a mi padre, te aseguro que hubiese preferido ver mil veces la película del exorcista. Está perturbado, la cárcel está volviéndolo más loco de lo que ya estaba. Por desgracia, no creo que llegue a salir de allí.

Necesito descansar, Ralph, sal tú con Eva y disfruta de la vida. Bailad, bebed y haced el amor. Cada día que pasa es un día menos, no llegues a la vejez arrepintiéndote de lo que no hiciste.

Voy a meterme en la cama, mañana he quedado con unos chicos para ir a las matanzas. Buenas noches, Ralph, besos para Eva.

A las seis de la mañana siguiente, Marc recogió con su coche a Joan para ir en dirección a Llubí. Llubí es una localidad situada en el llano de Mallorca, a cuarenta kilómetros de Palma, consta de unos dos mil habitantes y es famosa por sus alcaparras, capullos florales de la planta que normalmente se comen encurtidos, inmersos en vinagre. Tiene un especial interés la Feria de la Miel, donde se puede degustar este producto y sus derivados.

Marc iba abrigado hasta las orejas. Se había puesto una chaqueta de plumas y un gorro de lana para protegerse del frío, que hoy era intenso; la humedad calaba los huesos. La lluvia de toda la noche se estaba intensificando por la mañana y las predicciones hablaban de posibles nevadas.

Joan, en cambio, llevaba una camiseta blanca de manga corta y un pantalón vaquero.

—Joan, vas a pillar una neumonía, te pondrás malo y no podrás ir a la carnicería a trabajar.

—No te preocupes, jefe, mi grasa me protege de las inclemencias del tiempo. ¡Algo bueno tiene que tener estar gordito! —Los dos rieron.

—Si no me pongo malo yo… Aquí en Llubí, por donde quieras que pases, huele a vinagre con las dichosas alcaparras. Para mí son las pelotas del demonio, no soporto ese olor —murmuró Marc a la vez que aparcaba el coche. Joan no podía parar de reír imaginando a un demonio con dos alcaparras entre sus piernas.

En el maletero del coche llevaban botas de agua; se las pusieron nada más bajar, ya que la zona estaba completamente anegada.

La parcela donde había quedado era amplia, un terreno llano de tierra. A lo lejos resaltaban cinco almendros, y en el centro destacaba una caseta de aperos vieja, construida con paredes de marés sin ventanas. Tenía una sola puerta de madera oscura, podrida por el agua y los años a la intemperie. La caseta era pequeña y el techo, muy bajo; tendría unos nueve metros cuadrados, y nada más verla pensó que ahí no iban a caber.

En la puerta de la caseta les estaba esperando Óscar, nativo del lugar, el hombre de unos setenta años que, siendo cliente de la carnicería, invitó a Marc el año pasado a realizar las matanzas.

—Buenas, Óscar. ¡Qué maravilloso día! Gracias por invitarnos. Pongámonos en marcha. Hace un frío que pela.

—Hola, Marc, hola, Joan. Entremos en la caseta. Lo tengo todo preparado. Para el cerdo seguro que no es un buen día —respondió Óscar con un acento mallorquín muy marcado.

Las matanzas mallorquinas son las fiestas por excelencia en Mallorca. Es el evento más tradicional de la isla. Del cerdo se aprovecha todo; desde tiempos inmemoriales, el cerdo ha sido un elemento capital en la alimentación y este evento ha sobrevivido con mucho fervor en la sociedad mallorquina, donde se juntan amigos y familiares. Las matanzas se realizan en los meses más fríos, primero para evitar a las moscas y, segundo, porque la carne está más fresca.

Los chicos entraron en la caseta. Si desde fuera se veía pequeña, al entrar parecía una lata de sardinas. Con la cabeza se daban en el techo y tenían que estar agachados. Óscar, como era bastante más bajo, podía mantenerse erguido sin golpearse contra las vigas. En el centro de la caseta de marés se encontraba el cerdo colgado con una cuerda de las patas. El animal no paraba de moverse y balancearse, intentando sin éxito escapar de aquel lugar. El suelo estaba lleno de paja, había como dos palmos para absorber la sangre cuando cayese. En una de las paredes se apoyaba una carretilla muy vieja y roída con la que posteriormente sacarían al animal. El cobertizo no gozaba de luz eléctrica; Óscar había dejado en el suelo un farolillo de gas para iluminar la escena.

—Óscar, ¿no había un sitio más pequeño para hacer esto? —preguntó irónicamente Joan.

—¡Tenías que haber pensado que yo ocupo la mitad de la caseta!

—No os quejéis, que venís de invitados.

—¿Quién le da el golpe de gracia? —preguntó Marc.

—Se lo daré yo. Vosotros dos, como sois grandes y fuertes, sujetad al animal, que no se mueva mucho.

Óscar agarró con fuerza el cuchillo para el degüello; Marc pudo darse cuenta de lo bien afilado que estaba. De lo que no se percató hasta estar bien juntos es de la peste a alcohol que salía por el aliento del viejo. Seguramente Óscar había intentado evitar el frío de la mañana tomándose un par de carajillos, café con anís, para desayunar.

El anciano asestó una cuchillada al cuello del puerco, pero no acertó a darle en el punto exacto. Se requiere cierta habilidad en el arte del degüello, ya que hay que seccionar los grandes vasos sanguíneos situados en la base del pecho, en la base de la papada, y hoy Óscar no estaba en condiciones. El animal empezó a realizar movimientos violentos, no paraba de agitarse, Marc y Joan no podían inmovilizarlo. Óscar lanzó otra cuchillada justo cuando el cerdo, con un espasmo, lo empujó hacia atrás y cayó en el suelo de paja. Esta vez el cuchillo dio en el blanco y la sangre empezó a brotar con mucha fuerza. El hombre, con la caída, fue a parar contra la lámpara de gas, que quedó volcada en la paja. En seguida comenzó a prender. La escena era dantesca, el animal no paraba de chillar, la sangre salía a chorro de la garganta del animal, paredes y ropas se estaban tiñendo de rojo, el fuego cada vez se alzaba más y los chicos no sabían qué hacer.

Marc se quitó el jersey para tapar las llamas y ahogarlas con éxito; Joan cogió un cubo e intentó llenarlo con la sangre que caía. Óscar estaba tan asustado que se quedó completamente parado.

—¡Menuda escena hemos montado! Óscar, si vas a las matanzas no bebas, ¡casi morimos! —exclamó Marc.

El frío que les estaba erizando la piel hacía unos minutos se les había quitado de golpe. Óscar estaba hiperventilando y tuvo que salir de la caseta para poder coger un poco de aire fresco.

Quedaba sacar al cochino de la caseta y llevarlo al exterior. Joan acercó la carretilla y con el cuchillo cortaron las cuerdas que sujetaban al animal. Marc y Joan lo pusieron en la destartalada carreta; fuera les estaba esperando el longevo intentando recuperarse.

Joan agarró las asas de la carretilla y la condujo al exterior. Para sorpresa de todos, la carreta era más ancha que el hueco de la puerta. Marc, enfurecido, harto de tantos inconvenientes, fue directo a la puerta y de una patada rompió el marco.

—¿Puede pasarnos algo más hoy? Ya te pagaré la puerta, Óscar, ha sido un ataque de ira. Pocos conocen estos prontos que tengo, guardadme el secreto, ¿vale?

Los tres se pusieron a reír a carcajadas, tal vez intentando olvidar el mal trago que habían pasado en la caseta.

Marc, Joan y Óscar terminaron las labores de la matanza sin más dificultades. Al concluir se cambiaron de ropa y se despidieron del anciano.

—El año que viene… no nos llames. —Sonrió Joan.

—Esperamos verte por la carnicería, Óscar, tráenos algún producto de los que hemos troceado hoy. Y ahora en serio, el año que viene elijo el sitio y el degüello lo hago yo. —Marc estrechó fuertemente la mano del ebrio anciano y se despidió de él.

Había pasado una semana, la visita a su padre, la prisión y la accidentada matanza estaban muy recientes en la mente de Marc. En cuatro días tenía el doctorado en Bellas Artes y necesitaba despejar la cabeza. En casa estaba bien, pero quería una desconexión total. Tenía claro dónde quería pasar estos días, uno de sus lugares preferidos en Mallorca: El Santuario de Lluc.

Lluc se encuentra situado en el municipio de Escorca, en la sierra de Tramontana. Es un lugar emblemático y se considera como el lugar sagrado y de peregrinaje de la isla. El santuario permite hospedarse en sus habitaciones, mientras que el aire puro que se respira, las vistas a las montañas y la vegetación de la zona permiten desconectar del mundo y sentir una verdadera paz y tranquilidad interior. La iglesia de estilo renacentista tiene en el altar principal la imagen de la Moreneta, venerada por los peregrinos. La capilla, aun siendo de pequeñas dimensiones, posee detalles dignos de admirar. Para Marc, Lluc y sus alrededores eran, sin duda, uno de los lugares más bonitos de Mallorca.

Marc se alojó en una de las habitaciones individuales. No necesitaba mucho espacio, apenas superaba los diez metros cuadrados contando el baño. Los muebles eran de madera de roble oscuro, con una pequeña ventana que ofrecía vistas a las montañas y tenía postigos que permitían un oscurecimiento total a la celda.

Había una pequeña televisión, aunque Marc no la encendió durante toda su estancia. Intentaba no pensar demasiado en todo lo acontecido, pero inevitablemente le venían muchos recuerdos.

Recuerdos imposibles de borrar, la rabia hacia su padre crecía exponencialmente cada vez que pensaba en su madre. Cuando llegaba a ese punto, se tomaba algunos relajantes y se dormía rápidamente. Lo que quería realmente era pensar en lo que tenía que hacer a partir de ahora y visualizar su futuro.

Un día antes de marcharse, visitó la capilla. Sentado en el banco frente a la virgen, rezó por su madre, que descansase en paz, aunque él estaba seguro de que, si había algo más después de la muerte, su madre no estaba en paz. Pidió perdón por sus pecados cometidos y, ya que estaba, por los que iba a cometer.

Marc regresó a su casa el jueves a las seis de la tarde. Al entrar en casa, cogió el móvil y realizó una llamada.

—Buenas, señor Groguenc, nuestro encuentro no fue de buen agrado. Quisiera disculparme con usted. Si le va bien y todavía está dispuesto a adquirir el local, podríamos negociar de nuevo las condiciones. Seguro que podemos llegar a un acuerdo si los dos ponemos de nuestra parte. ¿Aceptaría venir el domingo a mi casa, cenar y tratar el tema?

Bastian Groguenc se mostró un poco confuso.

—¿Qué le ha hecho cambiar ahora de opinión, señor Metzguer?

—Lluc, sencillamente Lluc. Ese lugar tiene algo especial.

—*Oui, oui,* acepto la invitación, siempre ceno a las nueve, no más tarde. Nos vemos el domingo.

El día de la graduación fue un día muy especial para Marc, ansiaba ese día con todas sus fuerzas. El intenso calor y la humedad en el ambiente provocaban en Marc una excesiva sudoración, con un pañuelo intentaba secarse la frente. No faltaron sus amigos Ralph y Eva, que lo miraban con admiración desde los asientos. En un momento dado, le pareció ver a su madre, pero no era más que un simple espejismo, la ilusión de que hubiese podido estar ahí viendo a su hijo graduarse, lo orgullosa que se sentiría de su hijo y que pudiese decir: ¡Cuántas veces me dijiste de niño que querías esto y por fin lo conseguiste!

Un Porsche Cayenne negro paró frente a las rejas de la entrada del chalet de Marc.

La noche era fresca pero agradable, el cielo estaba completamente despejado y las estrellas brillaban con fuerza. La luna llena parecía un queso iluminado sobre un mantel negro.

—Marc, soy Bastian —dijo el francés a través del interfono de la puerta de acceso.

No hubo respuesta, únicamente las rejas comenzaron a abrirse para permitir la entrada del vehículo.

En cuanto Bastian se acercó a la puerta de la entrada, Marc, como si le estuviese viendo por la mirilla del portón, abrió sin darle tiempo a tocar el timbre.

—Buenas noches, señor Groguenc, gracias por venir.

El empresario francés se sentía absolutamente fascinado por la exquisita decoración del mobiliario. Cada enser está ubicado en el lugar exacto para no ocupar más de lo necesario, la calidad de los materiales quedaba fuera de toda duda. También quedó impresionado por la decoración de la casa, los gigantescos cuadros de estilo abstracto con colores vivos que cubrían las paredes le llamaban poderosamente la atención. En ningún caso se lo hizo saber a Marc, ya que el ego le impedía elogiar el buen gusto de su anfitrión.

El olor del hogar le llamó la atención, era un olor avainillado y madera de cedro, un aroma terroso que en esta época del año añadía a la estancia sobriedad y relajación. De la cocina llegaba un delicioso olor a carne.

—¡Qué bien huele! ¡Tengo muchísima hambre! —dijo Bastian mientras dejaba la chaqueta en el perchero.

—Está acabándose de hacer. Mientras, ¿quieres beber algo? —Bastian rehusó la oferta.

—¿Cómo va el negocio, señor Groguenc? Debe ser complicado controlar a tantos empleados.

—Marc, es muy fácil. Para mí es muy sencillo. Los empleados son «burritos» que van tirando del carro. Solo tienes que ponerle la zanahoria delante de las narices para que avancen, les ciegas un poco con una miserable nómina, *et voilà*, sacan el negocio adelante. Yo simplemente me siento en el carro para que tiren de él. La semana que viene tenemos el aniversario de la tienda, les preparo un picoteo, cuatro cosas para que coman y beban, un poco de música para que se desmadren y son felices todo el año. —Bastian se sentía muy satisfecho con la explicación.

El joven le pidió amablemente que se sentara a la mesa. Había sacado su mejor vajilla de porcelana y la cubertería de plata esterlina, los platos estaban colocados a cada lado de la mesa de madera de iroko maciza, en el centro dejó una botella de vino tinto francés, un Chateau Lafite del 2005 para satisfacción del invitado.

Marc llegó con la bandeja de carne y se sirvió en su plato un chuletón de ternera poco hecho en su plato y volvió a la cocina. A Bastian le pareció una falta de respeto que no le sirviera primero a él. Al regresar llevaba otra bandeja en la mano.

—Marc, ¿y mi chuletón? Me tendría que haber servido antes a mí —exclamó disgustado.

En ese instante, Bastian sintió una punzada en el cuello. Marc le había clavado una jeringuilla.

—Señor Groguenc, prefiero que tenga el estómago vacío.

El empresario cayó desplomado al instante sobre la mesa.

Le costaba abrir los ojos, sentía un gran cansancio y, aunque intentaba mantenerse despierto, el sueño era más fuerte y volvía a caer rendido. Esto se repitió cuatro o cinco veces hasta que llegó a recobrar la conciencia por completo. Sentía una gran presión en la cabeza y se dio cuenta de que estaba boca abajo, atado de los pies con una cuerda que colgaba de una polea en el techo. Las manos, que colgaban hacia abajo hasta casi tocar el suelo, también las tenía atadas con unas bridas de plástico. Sentía frío en todo su cuerpo y entendió que estaba completamente desnudo. El suelo era de cemento pulido gris y las paredes estaban llenas de estanterías repletas de objetos brillantes que no lograba identificar.

Estaba en el sótano, eso estaba claro. El sótano de la casa de Marc. Intentó pedir socorro, pero de su boca no salía sonido alguno, simples murmullos sin sentido, no tenía fuerzas para gritar.

Escuchó unos pasos detrás de una puerta. Marc apareció tras ella con gran serenidad y sonrió. Se limpió la boca con una servilleta.

—Bastian, ¡qué falta de respeto dejarme en la mesa comiendo solo! Esto es lo que llamo «la despensa». Te has perdido un vino de mil quinientos euros que estaba buenísimo, aunque seguro que tú has bebido mejores. No puedes moverte, tienes los músculos paralizados, necesito que estés relajado. ¿Conoces el síndrome de cautiverio? Bueno, administrando la dosis exacta de opiáceos se consigue la parálisis total, aunque la consciencia y la función mental no se ven afectadas. Lo primero que se recupera es el habla, que es lo único que necesito de ti.

—Verás, Bastian, estos días atrás he estado informándome sobre ti. Aparte de tu soberbia, prepotencia y ego, que es algo que no soporto en una persona, tratas como basura a la gente que trabaja contigo, pero lo que me tiene con la mosca detrás de la oreja es el gran poder adquisitivo que posees para ser un director comercial. No has heredado una gran fortuna y, en cambio, tienes locales nocturnos de dudosa actividad por varias zonas de la isla. Tienes chicas extranjeras trabajando en esos locales, sin contrato, sin papeles y en condiciones lamentables. Te explico, solo hay dos formas de que salgas de aquí: una, me explicas todo y aquí no ha pasado nada, o dos, a trocitos en bolsas de basura. En diez minutos recuperarás la voz, no te dará para gritar y no te esfuerces, las paredes están insonorizadas y no vive nadie a dos kilómetros a la redonda.

Bastian Groguenc se sentía totalmente desorientado, no entendía cómo Marc había podido obtener tanta información sobre él, tampoco podía pensar demasiado, la cabeza le daba vueltas, sentía que los ojos se le estaban llenando de sangre por la presión.

—¿Te acuerdas de cuando éramos niños, Bastian? ¿Te puedo llamar Basti? Mueve los ojos si es que sí. —El directivo movió un poco los ojos—. Basti, yo recuerdo muchas cosas de mi infancia, hubo momentos buenos, otros no tan buenos. Me pregunto ¿qué habrá pasado con los gusanos de seda? Seguro que tú tenías en casa, en la típica caja de zapatos, gusanos de seda. ¿Qué niño no los cuidaba? Íbamos a buscar la morera, trepábamos para poder coger las hojas más grandes y frescas para que nuestros gusanos crecieran y se hicieran muy grandes. ¿Tú tenías gusanos, no? Mueve los ojos, Basti, si es que sí.

»Cada día, al salir del colegio, corría para llegar a casa, abrir la caja y verlos. Cada día crecían un poco. Un día, al llegar del colegio, vi a mi padre haciendo fuego en la parte trasera de la casa, no le di importancia, pero al subir a ver mis gusanos, a los que cada día les dedicaba mi tiempo, no encontré la caja. Mi padre la había cogido y tirado a la hoguera. La juventud de ahora ya no cría gusanos de seda.

»Es curioso pensar en qué momento a un gusano le da por hacer un capullo de seda para que los humanos podamos usarla en la industria textil.

»Una fibra suave, resistente y cómoda de llevar, símbolo de lujo y riqueza. Dime, Basti, ¿quién le dijo al gusano: haz un filamento que en contacto con el aire se solidifique para que los humanos lo empleen para vestirse? Esto me lleva a pensar que hay un orden en la tierra y que cada uno tiene su misión en este mundo.

Bastian empezaba a recobrar la voz.

—Suéltame, Marc, estás loco. No diré nada a nadie si me dejas irme ahora —logró pronunciar con una voz muy tenue.

Marc se acercó a una de las paredes del sótano y cogió un cuchillo de carnicero curvo de treinta centímetros de longitud. Se aproximó a Bastian balanceando el acero.

—Está bien, está bien. Te contaré lo que quieres saber. No me hagas nada. Es verdad que he recaudado mucho dinero, he trabajado toda mi vida. El sueldo de directivo es bueno. Lo de los locales… Cada último viernes de cada mes un barco nos trae en un contenedor mercancía fresca. Jóvenes que no tienen dónde caerse muertas, normalmente sudamericanas, y les damos trabajo. Contamos con el beneplácito de altos cargos que hacen la vista gorda. Nada más. No te daré nombres. Ahora suéltame que me va a explotar la cabeza.

«El inspector tenía una tarjeta de Bastian en su cartera. ¿Tendría algo que ver con todo esto?», se preguntó.

Marc se acercó a la pared y examinó los utensilios, cogió el cuchillo de matarife.

—Bastian, ¿has asistido alguna vez a una matanza de cerdos? Te lo explicaré brevemente.

»Lo primero es el degüello, a la entrada del pecho, debajo de la papada, hay unos músculos en forma de cintas, pues debajo se encuentran las arterias carótidas primitivas. Ahí es donde hay que cortar. El desangrado correcto se favorece dejando que la actividad del corazón continúe hasta el final.

»Además, tu musculatura comienza a despertarse y tus contracciones ayudarán a que la sangre salga por completo. Lo siguiente que voy a hacer va a ser achicharrarte el pelo con una lamparilla de soldar. Estás bastante depilado, por cierto.

»No te asustes, habrás muerto antes de que te raje de arriba abajo para sacarte todas las vísceras. Las sujeciones de las vísceras son realmente laxas, ceden fácilmente, normalmente la más fuerte es la del esfínter del ano. ¡Un cortecito y fuera tripa cular! Luego, solo queda cortar la tráquea y el esófago para dejar el cuerpo vacío. ¡Un poco de agua y todo limpio!

»Te dejaré secando veinticuatro horas mientras despiece el corazón, hígado, pulmones y limpie tu estómago e intestinos. ¡Voy a elaborar unos buenos chorizos, butifarras y sobrasadas francesas! En fin, te puedo asegurar que en esta cena de empresa tus empleados no van a pasar hambre.

—Estás mal de la cabeza, Marc, esta broma ha llegado demasiado lejos! ¡Suéltame!

—Con el tiempo he aprendido que no conviene rodearse de cerdos, al final acabas ensuciándote y a ellos les encanta.

Marc se colocó delante de Bastian, abrió los brazos en cruz y pronunció:

—Y los demonios le rogaron, diciendo: Envíanos a los cerdos para que entremos en ellos.

En el instante de terminar la frase, Marc le clavó el cuchillo en el centro del cuello. La sangre comenzó a brotar de la herida como si se tratase de un torrente sin cauce fijo, el cuerpo del director sufría espasmos mientras sus ojos iban perdiendo el poco brillo que le quedaba. En poco más de un minuto se había desangrado completamente.

Marc siguió los pasos que había anunciado meticulosamente, se deshizo de las prendas y del coche del director comercial. Su fiel mascota Xispa pudo cenar un sabroso foie francés antes de que se fueran a dormir.

Se encontraba exhausto.

El centro comercial se encontraba en la ciudad. Llevaba abierto desde marzo de 1986, se había convertido en el centro más importante de la ciudad y este aniversario causó gran revuelo en la prensa local, ya que se esperaban grandes ofertas. También se hablaba de un concurso donde los clientes podían ganar la compra de un año completo y muchos más premios.

En este vigésimo aniversario del centro comercial se habían preparado en la entrada unas grandes mesas con productos locales para que clientes y empleados pudiesen degustar los alimentos y bebidas de la isla.

Una gran cantidad de globos azules y rojos formaban un arco en la entrada y daban la bienvenida a los clientes.

En las mesas, la comida era abundante. Los alimentos en los platos se alzaban formando una pirámide, mientras la gente se apiñaba alrededor de las mesas como buitres desesperados para conseguir un bocado. En ocasiones, tenían que intervenir los agentes de seguridad para poner un poco de orden. La operación de marketing y publicidad estaba funcionando muy bien, periodistas y varias cadenas de televisión se habían hecho eco de la noticia y cada día entrevistaban a gente siempre satisfecha.

Gerald, el chofer del camión refrigerado, se encargó de llevar todos los productos hasta la tienda.

Entre todos los productos elaborados se encontraban empanadas mallorquinas, pastas de masa con forma cilíndrica, rellenas de carne y verduras, embutido de todo tipo, sobrasada, *camaiot,* chorizo, frito mallorquín y de postre ensaimada. De beber servían un licor hecho a base de hierbas con alcohol agrícola y anís destilado con propiedades digestivas. En el centro de la mesa, como presidiendo todo el banquete, una figura de *siurell* de medio metro con los brazos abiertos parecía dar la bienvenida a todos los que se acercaban a probar los manjares.

María Blanco, subinspectora de la policía científica, estaba redactando un informe acerca del auge de la delincuencia de los inmigrantes sin papeles en Mallorca cuando Mati tocó a la puerta.

—María, ha llegado este sobre para ti. Pinta mal. Ya ha pasado por el TEDAX y no hay peligro.

María se quedó petrificada, cada vez que le llegaba una carta así eran malas noticias. Le costaba respirar y su piel empezaba a humedecerse por el sudor frío.

En la cara del sobre ponía:

PARA MARÍA BLANCO, SUBINSPECTORA.
(RECOMIENDO QUE LA ABRA SIN NADIE DELANTE).

El inspector Ramírez había salido y no se encontraba en las oficinas. María sabía que estaba mal abrir el sobre sin nadie delante, pero aun así decidió hacer caso a las advertencias de la frase.

—Mati, sal un momento, por favor, no dejes que nadie entre en el despacho —dijo María con voz entrecortada.

Se colocó unos guantes y abrió el sobre con un abrecartas. En el interior había un papel y una cinta de casete.

Querida María, siempre es un placer escribirte. Espero que tu sentimiento sea el mismo al recibir mis cartas. El director del centro comercial ha sido muy generoso al donar tanta cantidad de carne para la clientela y el personal. Ya era hora de que saliera de él un poco de altruismo. Seguro que no esperaba tener tanta publicidad, lástima que Bastian no va a poder saborear más éxitos.

Los que deben estar contentos son sus empleados, degustando la comida típica mallorquina con un ligero sabor parisino. Escucha la cinta y vigila bien a tu alrededor. Yo no me fiaría de la gente que tienes al lado. Se está cociendo algo gordo con personas importantes. Volveremos a estar en contacto muy pronto. Saludos cordiales.

Escuchó la cinta. En ella se escuchaba la voz del directivo francés contando lo de los contenedores con gente en su interior para trabajar en los locales nocturnos.

—¡Mati, llama a los agentes y diles que precinten de inmediato el centro comercial, que tapen las mesas con las degustaciones y que no dejen a nadie acercarse! Manda también al equipo de laboratorio. Que analicen los alimentos que ofrecen. ¡Otra vez el *siurell*!

Analizaron los alimentos, había carne humana. También se analizó el *siurell*, que, en sus franjas rojas y verdes, contenía sangre y bilis de Bastian Groguenc. La carta y el casete fueron llevados al laboratorio para ver si encontraban huellas o alguna pista que pudiese ayudar en la investigación. No hallaron huellas, pero sí encontraron en el sobre un pequeño pelo de color crema, proveniente de un animal, de un perro. Posiblemente de la raza Collie o Golden Retriever.

VI

Nit de Sant Antoni

Mati tenía sueño, llevaba desde las seis de la mañana en el despacho. Tenía puesta una camisa blanca inmaculada y unos pantalones vaqueros ajustados que le marcaban sus musculosas piernas. Necesitaba encontrar alguna pista sobre el caso Siurell y, así de paso, ganarse unos puntos con María. Echó un vistazo a los registros de llamadas del móvil de Bastian Groguenc, tenía varias llamadas ocultas en un corto período de tiempo. Ahí estaba la clave, ahí estaba el asesino, pero era imposible localizarlo de esta manera.

Salió en dirección a la máquina expendedora de café, pensó que con un café intenso se le despejaría la mente.

Eligió café solo doble, él prefería beber mate. Siempre se lo traía de casa, hoy había salido rápido y se le olvidó en la encimera de la cocina. En ese momento María apareció por el pasillo.

—¡Buenos días, María! ¿Quieres un café?

—Buenas, Mati, sí, va, sácame uno solo. ¿Qué haces aquí tan temprano? ¿Te has caído de la cama? —Sonrió.

—No, María, estoy dándole vueltas al caso del Siurell, hasta ahora ¿qué tenemos? Un jersey verde, que en las circunstancias en que estaba esa chica perfectamente podría ser amarillo, y un pelo de un perro que no sabemos la raza exacta. Los registros de llamadas del móvil de Bastian no han aportado nada. Voy a llamar a su mujer a ver si sabía con quién había quedado o si dijo a dónde iba.

—No pierdas el tiempo, Mati, ya he hablado con la señora Groguenc. Llevaban tiempo haciendo cada uno una vida independiente. Charlotte Groguenc no tenía ni idea de los negocios en los que estaba metido su marido. De todas formas, te voy a pedir que, a partir de ahora, cualquier cosa que quieras investigar acerca de este caso me lo informes con anterioridad —concluyó María con seriedad.

Mati se quedó descolocado con esta contestación y entendió de inmediato que había algo más detrás de todo esto.

—Mati, llevas aquí poco tiempo. ¿Te apetece ir a almorzar conmigo al salir? Hablaremos del tema. —El joven aceptó la invitación sin dudarlo.

—¿Es una cita?

—No te emociones, Mati, es trabajo.

El restaurante Casa Torrado estaba situado en la zona del Arenal, es un restaurante muy turístico especializado en carnes a la brasa. Está muy bien situado cerca de las playas y con un cómodo acceso desde la autopista Ma-19.

María y Mati llegaron a las dos del mediodía, en marzo la temperatura en Mallorca suele ser agradable y permitía comer en la terraza del local.

María pidió un solomillo a la pimienta y Mati, que tenía mucha hambre, le solicitó amablemente al camarero que le trajera el chuletón más grande que tuviera, hecho al punto.

—Tú dirás, María, ¿de qué quieres hablar?

—Mati, no puedo confiar en nadie. Tengo información secreta sobre tráfico de personas, explotación sexual, trabajos forzosos. Te lo cuento a ti porque sé que llevas poco tiempo con nosotros y es imposible que estés metido en todo esto. Tenemos que investigar.

El último viernes de cada mes, en el interior de varios contenedores del puerto, traen gente de diversas nacionalidades. Gente sin papeles, muertos de hambre, y los meten en locales nocturnos para explotarlos laboralmente.

—¡Pero tenemos que dar parte al inspector Ramírez! ¡Tiene que saberlo y movilizar a las patrullas! —comentó Mati con la voz un poco más elevada de lo normal, hecho que le reprochó María.

—Baja la voz, no lo entiendes. Me temo que hay gente importante involucrada y no es conveniente que lo sepan, de momento.

—Entiendo, está bien. ¿Qué quieres que haga?

—Mati, de momento no hagas nada. Yo te diré los pasos a seguir.

Terminaron el almuerzo, a Mati solo le faltó chupar el hueso. Pagaron la cuenta a medias y regresaron a la comisaría.

—María, me gusta estar contigo, me preguntaba si te apetecería ir a cenar algún día conmigo. Olvidarnos un poco de todo el trabajo y hablar de nosotros —comentó Mati antes de entrar por la puerta.

—Mejor no, Mati. No mezclemos las cosas.

Era evidente que al joven ayudante le atraía fuertemente la subinspectora. Desde que llegó a la policía científica le había echado el ojo y cada paso que daba dentro de la comisaría era para poder acercarse sutilmente un poco más a María. Los dos eran jóvenes y atractivos, harían buena pareja, pero María solo pensaba en el trabajo y, en todos los años que llevaba en la comisaría, no se le conocía ninguna relación con nadie.

El primer día de junio había amanecido con una temperatura fresca pero agradable, el cielo estaba despejado y todo indicaba que seguiría así hasta la noche.

Aida. Marcha Triunfal de Giuseppe Verdi.

Marc estaba arreglándose en el baño de la planta de arriba de su casa. Se había puesto sus mejores galas: camisa blanca y traje negro de una famosa marca italiana. Se estaba colocando los gemelos de oro y el día anterior había llevado a limpiar sus mocasines Paris. La colonia elegida llevaba un suave aroma a vainilla y flor de tabaco.

Normalmente, Marc evitaba las muestras de glamour, solo las mostraba en ocasiones especiales y hoy era una de ellas.

A las once de la mañana iba a hacer el acto de inauguración de la Galería de Arte Marc Metzger Sastre.

Por fin, el sueño de niño se iba a cumplir. Durante varios meses estuvo en contacto con personas influyentes, con gran poder adquisitivo, estudiando dónde sería el mejor lugar para montar la galería. Finalmente, se decidió por el Puerto de Andratx.

El Puerto de Andratx se encuentra en el suroeste de la isla, a unos treinta kilómetros de la capital. Es un puerto natural rodeado de calas de aguas cristalinas y uno de los centros turísticos más importantes de Mallorca, gracias a su actividad náutica, que emerge como un lugar residencial de alto standing y exclusividad.

La zona cuenta con una selecta oferta hotelera y con restaurantes prestigiosos donde disfrutar de la comida mediterránea con unas estupendas vistas. También los alrededores están repletos de auténticas casas de lujo.

Marc lo tenía todo organizado. Había contratado una empresa de catering con comida de primera calidad, no quería que faltase nada.

Caviar, salmón, anchoas, jamón serrano ibérico de bellota, una selección de tapas elaboradas y una amplia gama de vinos tintos y blancos de alto gourmet.

Llegó a las diez de la mañana, tal y como acordó con los empleados. Les abrió las puertas y empezaron a organizar el local.

El establecimiento constaba de casi trescientos metros cuadrados. El suelo era de parqué de madera de roble blanco, las paredes pintadas en blanco para destacar únicamente las obras y los techos eran altos. Aparte de numerosos cuadros, había varias esculturas de metal. Marc tenía expuestos varios cuadros de gran tamaño en la galería, pero la mayoría de las obras eran de amigos suyos de la universidad. Quería ayudarles a abrirse camino en el mundo del arte y pensó que era una buena forma de empezar, mostrando los cuadros y las esculturas en la inauguración, ya que iba a venir gente muy influyente tanto de la isla como del extranjero.

No faltaba la prensa, periodistas de varios canales de televisión local aguardaban en la entrada para entrevistar a los personajes públicos.

Eran casi las once cuando Marc se acercó a la entrada, abrió las puertas. Todos los que se agolpaban en el escaparate lo recibieron con un fuerte aplauso.

Marc, en pleno gozo, con una sonrisa de oreja a oreja, fue dando la bienvenida uno a uno y agradeciéndoles la visita.

Asistieron personajes de toda índole, desde políticos hasta empresarios alemanes. La inauguración estaba siendo un éxito y todos alababan el buen gusto por las obras mostradas. Marc estaba frente a una escultura metálica creada por uno de sus compañeros de clase, Martín Pellicer. Los dos hablaban de la plasticidad lineal del metal para crear lo que llamaban «danza de las luces». La luz se filtraba entre el acero y realmente parecía que bailaba dependiendo de la posición desde donde la mirases.

Estaban absortos contemplando la obra cuando Marc sintió unos golpecitos en el hombro.

—Hola, Marc. ¿Cuánto tiempo ha pasado? ¡Qué alegría volver a verte!

El dueño de la galería se giró lentamente, le sonaba ese acento, pero no recordaba de qué. Frente a él, un hombre altísimo, cerca de dos metros de altura, sonreía con una dentadura perfectamente ajustada. Era un hombre de piel oscura y complexión atlética. Parecía un guardia de seguridad. En un principio, Marc no sabía quién era, conocía a muchísima gente y a veces no se acordaba de todo el mundo. El chico giró la cabeza y dejó ver una cicatriz que iba desde el pómulo hasta la oreja derecha.

—¡Amari! ¿Eres tú de verdad? ¡No me lo puedo creer! No esperaba volver a verte y ¿has venido hasta aquí?

Los dos se estrecharon en un fuerte abrazo.

—Marc, querido amigo. Vi la noticia en la prensa y no podía perdérmelo. ¡Cuánto me alegro de que por fin hayas conseguido lo que deseabas de pequeño! ¡Las veces que me lo decías en el colegio! ¡Eres mi ídolo!

—Gracias, Amari, ¡qué sorpresa más agradable! ¡Estás estupendo! ¡Menudo cambio has pegado! Ahora te voy a tener que pedir a ti que me defiendas —exclamó Marc.

Los dos se pusieron a reír exageradamente.

—Gracias a ti por todo. Mi idea es quedarme en Mallorca, encontrar un trabajo aquí y seguir tus éxitos de cerca. Tenemos muchas cosas de qué hablar. Eres un gran amigo, Marc. Cualquier cosa que necesites, aquí estaré.

Estuvieron hablando durante un buen rato sobre cómo les había ido la vida. Amari era profesor de educación física en un colegio de Rottweil, cerca de Schiltach. Seguía soltero, pero no era por falta de oportunidades; era un chico muy apuesto.

Quedaron en volver a verse en poco tiempo y Marc se disculpó porque tenía que atender a más invitados. Algo que su amigo entendió perfectamente.

Tampoco faltaron al evento sus dos grandes amigos, Ralph y Eva, que se habían casado hacía tres años. Eva estaba embarazada de seis meses y, debido a su extremada delgadez, la barriga era bastante llamativa.

El director general de urbanismo, Bernat Fiol, un hombre de unos sesenta años con cierto sobrepeso, estaba frente a una de las pinturas de Marc.

—¿Qué le parece? —dijo el joven acercándose para estrecharle la mano.

—Buenos días, Marc, me parece una obra muy interesante. Es impactante, sus colores, las expresiones de los personajes, el dramatismo, creo que el artista logra plasmar su frustración y su conflicto, seguramente generado en su infancia. Sin duda voy a pujar una gran suma de dinero por esta obra. Quiero tenerla en mi comedor —comentó Bernat.

El cuadro, realizado con pintura acrílica, era de grandes dimensiones: tres metros de alto por dos metros de ancho. Estaba pintado con colores oscuros, rojos intensos, marrones tierra que mostraban relieve y toques de luces con el color blanco y amarillo. En él aparecían dos cabezas descompuestas, abiertas por la mitad en un amasijo de colores rojos y rosados. Los ojos estaban perfectamente colocados e inalterables en el rostro, daban la sensación de pedir auxilio. El fondo del cuadro era oscuro, casi negro, y desde la parte superior derecha se veía un pequeño haz de luz que se dirigía hacia los rostros deformados.

—Gracias, Bernat. Este lo he pintado yo. No creo que lo ponga en venta —dijo Marc, notablemente satisfecho.

—Me encanta, eres increíble. Un día me tienes que explicar qué materiales utilizas para darle ese realismo y esa textura tan natural.

—¡Es mejor que no lo sepas, Bernat! —sonrió el joven, dándole una palmada en la espalda.

Siguieron conversando un rato cuando, de pronto, Marc notó la presencia de alguien a su lado.

Llevaba un perfume dulce, floral, con notas de pomelo rosa, vainilla, rosas y lirios, un perfume apetitoso. Ya lo había olido antes y le gustaba.

—Bonito cuadro, Marc, pero es demasiado macabro. Me hace pensar en el trabajo. Prefiero contemplar paisajes.

Era María Blanco.

Marc no se esperaba esta visita; por un momento se quedó desconcertado.

—¡Qué visita más inesperada y a la vez tan agradable! Hoy las alegrías llegan por momentos. —Marc la saludó con dos besos.

María, a diferencia de las anteriores veces, llevaba el pelo corto, por encima de los hombros. El corte de pelo le daba un aspecto más juvenil y pícaro al mismo tiempo. Llevaba un vestido azul largo ajustado, con abertura lateral que dejaba ver parte del muslo. El escote era tipo *halter,* que permitía que se le vieran los bonitos, pero no exagerados, hombros.

Los zapatos beige de medio tacón estilizaban su esbelto cuerpo. Marc se quedó gratamente impresionado con su forma de vestir.

—No podía perderme esta magnífica exposición. Me encanta el arte, aquí hay obras singulares, evocadoras, muy personales. Dicen mucho del artista.

—¿Sí? ¿Qué te dice la mía, por ejemplo? —preguntó Marc.

—Tu cuadro me inspira dolor y sufrimiento, una adolescencia complicada. Uno de los rostros podría pensar que es el de tu madre, el otro no sé de quién podría ser. También veo que necesitas hablar del tema y quizás yo podría ayudarte. Cuando termine todo esto, ¿te gustaría que fuéramos a cenar algo? —preguntó María sin ninguna timidez. El cargo de subinspectora le había dado cierta seguridad en sí misma. Pensó que hace un tiempo atrás no se le hubiese ocurrido decir algo así.

Marc se quedó tan sorprendido como cuando la vio aparecer.

—Mmm…, supongo que estaría bien, si quieres te llamo cuando termine el evento.

—Claro, nos vemos luego, Marc. Voy a echar un vistazo a la galería. No te molesto más. Sigue con lo que estabas. —María se despidió de él con una sutil caricia en el hombro.

El evento no podía ir mejor; Marc pasó la tarde hablando con importantes políticos sobre las obras y de diversas noticias que habían aparecido en la prensa. Por esas fechas, en Mallorca se ponía en marcha, en periodo de pruebas, la primera línea de metro, la autovía entre Paguera y Palmanova estaba en plenas obras y, sobre todo, el mayor problema era la pérdida de turismo que sufrió la isla el pasado año. En ese aspecto, el consejero de turismo que se encontraba junto a Marc aseguró que a finales de año Baleares iba a recuperar el millón de turistas que había perdido gracias a la eliminación de la ecotasa.

A Marc todo eso le parecía palabrería barata. Charlatanes rellenando silencio para darse más importancia y quedar uno por encima del otro con un grave complejo de superioridad. A Marc le gustaba el silencio; a veces desconectaba de las conversaciones y solamente asentía, fingiendo atender lo que le decían. Pensó que si el problema del turismo era una mísera ecotasa, las islas tenían un problema y los políticos que lo creían eran unos incompetentes.

Eran casi las ocho de la tarde cuando Marc reunió a todos los invitados que quedaban.

—Buenas, ¡un momento por favor! —exclamó con un tono elevado, impropio de él.

—Para concluir esta maravillosa inauguración, quería daros las gracias a todos por la asistencia. Ni en mis mejores sueños podía pensar que este día iba a transcurrir de la forma que lo ha hecho. Ha venido gente que no esperaba ver.

»Especialmente agradecerle a mi amigo de la infancia, Amari Moyo, que ha venido desde Alemania. Siempre lo hago, pero en días como el de hoy, no puedo dejar de pensar en mi madre.

Estuvo apoyándome en todo lo que se me pasaba por la cabeza y seguro que allá donde esté, estará orgullosa de mí. A veces la vida te pone piedras en el camino, pero nosotros tenemos que aprovecharlas para hacernos carreteras. Son las dificultades las que nos enseñan a continuar, te puedes rendir o te puedes levantar con más fuerza. Yo decidí seguir adelante y hoy tengo mi galería de arte. Galería Marc Metzger Sastre. Gracias y buenas noches.

»Como colofón final, los invitados arrancaron a aplaudir con gran entusiasmo.

Se sentía cansado, sus movimientos eran lentos, notó que la energía se le estaba agotando, pero le apetecía mucho ir a cenar con María. Entró en el baño, se mojó la cara y sacudió la cabeza en un gesto de expulsar todo el cansancio que tenía encima.

—Buenas, María, soy Marc, ¿todavía te queda hambre para cenar?

La respuesta fue afirmativa.

María insistió en que irían con su coche, en media hora lo recogería en la esquina de la calle Barranco n.º 5. Marc evitó darle la dirección exacta de su casa.

Marc se cambió de ropa, se puso algo más casual, más cómodo. Un pantalón gris oscuro y una camisa azul de manga larga, aunque hacía bastante calor y llevaba las mangas arremangadas. María apareció a la hora acordada con un SUV color gris, abrió la puerta. Vestía una blusa color beige y un pantalón corto de color negro con bordados que dejaban ver sus esbeltas piernas. En la radio del coche sonaban los grandes éxitos de un conocidísimo cantante madrileño de fama mundial.

En ese momento, Marc sintió que se le iba a complicar la vida. El joven intentaba evitar mirarle las piernas, pero su piel tersa y nívea era una tentación para él.

—¡Puntual! ¿Dónde vamos a cenar? —preguntó Marc.

—Conozco un restaurante por la zona de Las Cadenas, por el Arenal. Me lo ha recomendado una amiga. Podemos ir allí si te parece bien.

—Adelante, estoy en tus manos, María. Llévame sin ningún destino, sin ningún porqué —sonrió Marc.

El restaurante era de estilo mallorquín, con paredes de marés, con vigas vistas. Un lugar muy acogedor, Marc agradeció que hubiese poca gente, necesitaba relajarse y descansar la mente, disfrutar de la cena y la compañía.

María pidió un solomillo bien hecho y Marc una lubina al horno y un vino blanco chardonnay.

—Cuéntame, María. ¿Cómo te va el trabajo? No sé nada de ti desde que me llamaste para ir a visitar a mi padre a la comisaría —mintió Marc.

—Pues no me ha ido mal, paso a paso he ido mejorando, ahora soy subinspectora. Tengo que decir que me lo he ganado a pulso. Nadie me ha regalado nada. Por desgracia, he tenido que ver cosas que no me hubiese gustado ver, pero en el momento que me decidí a trabajar en esto sabía a lo que me exponía. A veces, la realidad supera la ficción.

Recuerdo que de pequeña, un día mi padre salió de servicio, eran las once de la noche y antes de irse vino a la habitación y me dio un beso. Nunca lo hacía, pero esa noche me dijo: «Marieta, te quiero. Nunca te hagas policía, lo peor de este trabajo es tener que salir a estas horas, dejar a tu familia en casa y no saber si volverás a verla». Efectivamente, nunca volvió. Murió esa noche en un tiroteo con unos traficantes de drogas.

—Lo siento mucho, María, por desgracia sé el dolor que se siente —dijo Marc.

—Bueno, no hablemos de esto. ¡A ti te va bastante bien! —exclamó la subinspectora.

—Sí, no me puedo quejar. Lo mío me ha costado, pero por fin lo he conseguido.

Marc estaba totalmente encantado de estar con María. Era una sensación extraña que no había experimentado nunca. Esa chica le gustaba de verdad. No era simple atracción física, iba más allá. Se complementaban y las frases de uno las terminaba el otro, había conexión.

Las horas pasaron rápidamente, pidieron una copa para terminar la velada.

—Me ha gustado mucho cenar contigo, gracias.

—¿Te apetecería tomar una última copa en mi casa? —preguntó con decisión Marc.

—Está bien, pero solo una. —Sonrió María guiñándole el ojo.

Pulsó el mando para abrir las rejas de la entrada principal. Marc le indicó a María que dejase el coche en la parte de atrás de la casa. Lo prefirió así, ya que si lo metía en el garaje tenían que cruzar por el sótano para acceder a la casa.

Se sentaron en el sofá frente al ventanal del comedor. Marc puso música, *Europa* de Santana, se desabrochó por completo la camisa dejando ver su torso musculado.

—Perdona, si te incomoda me abrocho los botones, me gusta estar cómodo en casa.

—No te preocupes, está bien. Es tu casa —comentó María.

Marc se acercó al minibar para preparar un *gin-tonic* con tónica rosa a María.

—¿Qué pensarán tus compañeros sabiendo que has ido a cenar con el hijo de un asesino? —preguntó metiéndose la mano en el bolsillo para sacar una bolsita con unos polvos blancos.

—No me preocupa lo que piensen, de todas formas. No se lo he dicho a nadie. Nadie sabe dónde estoy.

Marc vertió los polvos en la bebida. De repente, sintió los brazos de María abrazándolo por la espalda.

Marc se estremeció y un calor le subió por el cuerpo desde los pies hasta el rostro.

—Me gustas, Marc.

Marc se giró, disimulada pero intencionadamente tiró la copa de *gin* al suelo.

—No te preocupes, ahora la recojo —dijo sin preocuparse en absoluto.

Se miraron durante unos segundos. María seguía con los brazos en los costados de Marc. Él sintió que las pulsaciones se aceleraban. Acercaron lentamente las bocas y se fundieron en un beso lento e intenso. Fue un beso romántico, dulce, deseado, apasionado. María volvió a sentirse adolescente, se estremeció y sintió como se le endurecían los pezones. Marc la abrazó con fuerza y tembló con la necesidad de tocarla en su zona íntima. Ella se sentía segura en sus brazos y hacía mucho tiempo que no se sentía así. Y él… él voló hasta su niñez, la sensación de felicidad, de gozo, de paz. Una lágrima cayó por su mejilla.

—Un día me prometí que solo volvería a llorar de felicidad —dijo secándose la mejilla.

La luz era tenue. Ambos empezaron a quitarse la ropa el uno al otro, besando cada parte del cuerpo que quedaba al descubierto. Marc se sentó en el sofá. María se puso a horcajadas sobre él haciendo movimientos acompasados. La pasión era máxima, el joven besaba los tersos pechos al tiempo que acariciaba los muslos de la joven policía. Culminaron el acto simultáneamente entre gemidos de placer.

—¡Me encanta tu piel! —dijo Marc. María sonrió.

Se llevaban muy bien, se complementaban. Marc era reservado, María era extrovertida y afable.

Esa diferencia de caracteres hacía que lo que le faltaba a uno lo obtuviese del otro y viceversa. Desde aquel primer día María no había vuelto a casa de Marc, siempre se veían en casa de ella. Una casa discreta, con dos habitaciones y una amplia terraza. Suficiente para una chica soltera. Tenían muchas cosas en común, les apasionaba el helado de menta con chocolate, cada vez que tenían ocasión iban a comprarlo y veían una película en la televisión mientras devoraban las tarrinas del gélido dulce.

Llevaban seis meses de relación. Marc no se había planteado tener una relación, pero merecía la pena. Les gustaba pasear por las mañanas, siempre que el trabajo se lo permitía, elegían algún punto de la isla y se iban a desayunar por el simple hecho de desconectar y conocer nuevos lugares.

Uno de sus sitios preferidos era lo que ellos llamaban «la roquita», estaba situado entre el Club Náutico del Arenal y Sa Cova Baixa, un lugar donde relajarse mirando al mar, sentir la brisa y tomar el sol.

—Podría pasarme la vida así —dijo Marc recostado sobre las piernas de María.

—Yo también, soy feliz. No necesito nada más. Tengo un sueño, es ir a París, visitar la torre, la catedral, el museo del Louvre. No es que sea un sueño increíble ni especial, pero es el mío. Me gustaría que fuésemos algún día. ¿Tú ya has estado, no?

—Sí, he estado, pero contigo sería como ir por primera vez. Mi madre soñaba con ser una gran modista y trabajar para las grandes marcas textiles. De pequeño viajamos un par de veces porque mi madre quería ver desfiles de moda, mientras yo aprovechaba y me iba al museo y me pasaba las horas contemplando las grandes obras. Me llamaba especialmente la atención *La libertad guiando al pueblo*, de Delacroix. La rebelión del pueblo en favor de las libertades.

—Ya, pero esas libertades necesitan unas leyes y unas obligaciones —dijo la policía.

—Por supuesto, si todo el mundo las cumpliese el mundo sería un lugar mejor y tú te quedarías sin trabajo. —Marc se puso a reír—. Algún día iremos a París. Mallorca no está nada mal. Es un paraíso.

—Veo que no tienes ningún tatuaje. ¿No te gustan? —preguntó María.

—No me lo he planteado, pero alguno pequeño con un significado especial puede quedar bonito.

—¿Nos hacemos uno? ¿Uno juntos? Que tenga algo que ver con Mallorca. La silueta de la isla, un molino mallorquín, no sé…

—¿Una ensaimada? ¿Una sobrasada? —Los dos se pusieron a reír—. ¿Un *siurell*?

En ese instante a María se le cortó la risa. Se levantó de la roca donde estaba sentada como si tuviera un resorte en el trasero.

—¿Qué pasa? ¿He dicho algo inapropiado? —preguntó Marc, sabiendo lo que había dicho y por qué.

—No, tranquilo. Es el tema del *siurell*. Es el caso del asesino. Seguimos sin pistas, no hay manera de acercarnos a él, ni siquiera sabemos a lo que nos exponemos ni cuándo va a volver a actuar. No sigue ningún patrón y nos tiene completamente desconcertados.

—Lo atraparéis, seguro. Y ese día serás nombrada inspectora jefe. —Marc tomó de la mano a María intentando tranquilizarla.

Eran las seis de la mañana; Marc había dormido en casa de María. Normalmente se levantaba más tarde, pero ese día hacía ocho meses que habían empezado la relación y quería sorprenderla preparando el desayuno junto con un ramo de ocho rosas rojas.

—¡Buenos días, amorcito! Felicidades —dijo entregándole la bandeja y el ramo—. ¿Qué te parece si te llevo yo hoy al trabajo? Hoy tengo todo el día para ti. Además, va siendo hora de que me presentes a tus compañeros de trabajo.

A María le encantó la inesperada sorpresa matinal y aceptó de buen agrado la propuesta.

A las ocho y media llegaron a la comisaría. María le advirtió que sería una visita breve, conocer su lugar de trabajo, a varios compañeros y poco más. No era un lugar donde se admitieran visitas así como así.

Las oficinas estaban en el segundo piso de un edificio ubicado frente al Paseo Mallorca. En la entrada principal había varios agentes de policía custodiando el paso y en el centro un gran arco de detectores de metales.

Marc fue consciente de que, sin la invitación de la subinspectora, no habría podido pasar por ahí desapercibido.

—Buenas, agentes. Viene conmigo. No os preocupéis —dijo María señalando a Marc. Subieron por las escaleras hasta la segunda planta. Allí estaba Mati en la oficina, sentado en su silla, leyendo un informe y tomándose un café. Al levantar la vista, casi se le cae la taza de las manos.

—Hola, Mati. Te presento a Marc Metzger. Me ha traído en el coche; quería conocer a los compañeros «pesados» con los que trabajo y las instalaciones. Es una breve visita.

Mati estaba perplejo; no obstante, le estrechó la mano.

—Buenas, Marc, ¡el famoso hijo de Emil Metzger y galerista de arte! —exclamó Mati, tirando de sarcasmo.

—Espero ser famoso por mi galería, no por mi apellido.

—Me temo que, de momento, eres famoso por el apellido, aunque te pese —respondió el agente.

Marc iba a contestar cuando María le interrumpió, viendo que el cauce que estaba tomando la conversación no era el más adecuado.

—Marc, te enseño mi oficina. Al inspector Ramírez ya lo conoces. Su oficina es la de la derecha. Hoy no está, tenía unos asuntos familiares que solucionar. Es mejor que no estés demasiado tiempo por aquí.

—Por supuesto, no quiero molestar a nadie, ya me voy. No hace falta que me acompañes, sabré encontrar la salida.

Marc se despidió con un abrazo y salió de la oficina cerrando la puerta con sumo cuidado. Miró a ambos lados del pasillo, no vio a nadie, pero no buscó la salida. Entró en el despacho del inspector.

Marc procuraba no hacer el mínimo ruido. En la mesa del inspector había algunos documentos sin importancia, un cenicero, una foto familiar con lo que debía ser su esposa y su hija y un par de bolígrafos. Las estanterías estaban repletas de libros académicos y apuntes de leyes. Las paredes tenían los típicos diplomas acreditativos y varios recortes de periódicos con noticias relevantes. Una de ellas estaba relacionada con el asesino del *siurell*.

Rebuscó en los cajones del escritorio, abrió el primero y no encontró nada importante: artículos de papelería y una caja de chicles de menta. Al abrir el segundo cajón, se quedó petrificado. Un sobre cerrado llevaba inscrito en un recuadro amarillo: «PINTURAS GLOBALES», en letras negras. Miró a la puerta; la situación estaba controlada. Abrió con cuidado el sobre. En el interior había una cantidad considerable de dinero, billetes de doscientos euros; *grosso modo*, pudo contar cincuenta billetes y un folio con cincuenta nombres de mujeres, algunas latinas y otras de Europa del Este. Al pie del folio aparecía un código: HMM Salamandra PSSU 567493 22G1. Firmado: Bastian Groguenc. El código correspondía al nombre de un barco y a la identificación de un contenedor. El último cajón estaba repleto de esos sobres.

Marc realizó varias fotos y salió con cuidado del despacho. Bajó las escaleras sin hablar con nadie y abandonó el edificio.

—¡María! ¿Te has vuelto loca? ¿Desde cuándo estás con este personaje? No te conviene para nada —exclamó Mati mientras entraba en el despacho de la subinspectora. Se le notaba irritado.

—Cálmate, Mati, cualquiera diría que estás celoso. Si me conviene o no, lo decido yo. Tú y yo nunca podríamos tener nada; no es bueno mezclar el amor con el trabajo, además eres muy joven para mí.

—Déjate de tonterías, te estoy hablando en serio. Me da muy mala espina este hombre.

—Eso es asunto mío. ¿Quieres algo más? —preguntó María desde su escritorio.

—Sí, me ha llamado el inspector. Esta noche es la *Nit de Sant Antoni,* los compañeros hemos quedado para ir a divertirnos. Que venga tu chico si quieres, por mí no hay problema. —Cerró la puerta con un poco más de fuerza de lo habitual.

La *Nit de Sant Antoni* es una fiesta muy popular en Mallorca; es la mayor fiesta del invierno y en ella se le da gran importancia a los grandes fuegos, fogatas y a los demonios que emplean una escoba para atizar a los jóvenes. La mayoría de los demonios llevan alas de murciélago y una gran máscara negra con cuernos de grandes dimensiones; realizan típicos bailes, canciones y danzas mientras portan artilugios como palos y ruedas de donde salen los fuegos artificiales.

La gente puede participar de la fiesta, meterse entre los demonios y ser partícipe directo de la celebración. Todo ello acompañado de una estruendosa tamborrada. Para cerrar la fiesta se enciende una gran hoguera.

El teléfono de Marc sonó.

—Hola, Marc. Esta noche los compañeros van a la *Nit de Sant Antoni,* al Monasterio de la Real. ¿Te apetece que vayamos? —preguntó María.

—Lo siento, esta noche tengo una entrada para la ópera. No sabía que ibais a esa fiesta. Ve tú y diviértete, así desconectas un poco de todo.

—Está bien, Marc, no hay problema. Pásalo bien. Ya sabes, yo soy muy mallorquina —concluyó María.

Marc, al momento, llamó a su querido amigo Ralph.

—¿Qué tal, Ralph? ¿Cómo va todo? Tengo un regalo para ti. Esta noche estrenan en el Auditórium *El demonio,* la ópera de Antón Rubinstein. Yo no puedo ir, me ha surgido un imprevisto. La entrada está a mi nombre, pero ya sabes que eso nunca lo miran. ¿Te apetece ir? —preguntó Marc.

—Hola, viejo amigo. ¡Cuánto tiempo! No tenía pensado hacer nada. Eva se va con unas amigas de torradas y yo me iba a quedar en casa. Seguro que estará bien. ¡Cómo me conoces, cabroncete!

—Perfecto, Ralph, luego te veo y te doy la entrada. Solo te pido una cosa: tienes que ir con traje negro, guapetón como siempre.

—¿Con quién te crees que hablas, Marc? Con traje sí o sí.

El Monasterio de Santa María de la Real está situado a tres kilómetros del centro de Palma de Mallorca. Fue fundado en el año 1232; con un estilo de arquitectura gótica, ofrece un escenario ideal para la celebración de la fiesta de Sant Antoni. Ramón Llull, uno de los filósofos más importantes de la cultura mallorquina, se instaló en el monasterio por una buena temporada y escribió muchas obras entre sus muros. Está declarado como Bien de Interés Cultural. Por una puerta adosada al lateral de la iglesia se puede acceder a un bonito y apacible claustro de dos plantas, con arcos soportados por columnas en espiral en la planta baja y rectas en la planta superior.

La noche era muy fría. María se abrigó con una chaqueta azul de plumas con protector en el mentón, de esas que te cubren hasta la barbilla; llevaba unos guantes de lana y, aun así, había momentos en que tiritaba y le daba por frotarse las manos. Mati solo llevaba puesta una sudadera de invierno de poliéster, pero él tenía claro que iba a estar cerca del fuego y no iba a pasar frío. El inspector Ramírez, con una chaqueta roja y un gorro de lana del mismo color, era la burla de los compañeros. Todos le decían que podía incorporarse a los demonios.

El Monasterio estaba ambientado con todos los detalles. Luces de un rojo intenso iluminaban los muros de piedra, creando un efecto cueva. Las gárgolas parecían cobrar vida con los destellos de las antorchas apoyadas en los candelabros.

Varias hogueras estaban encendidas estratégicamente para iluminar tenuemente el camino. El retumbar de los tambores junto a todos esos detalles evocaba una atmósfera infernal.

Los tambores pararon de sonar súbitamente, una música aguda sonaba de fondo y, de repente, empezaron a sonar las pisadas de decenas de demonios. Llegaron hasta la explanada del monasterio; formando un corrillo, encendieron las ruedas y lanzas que portaban, y acto seguido empezaron a bailar bajo los fuegos artificiales.

Provocaba una mezcla de atracción y temor, era algo hipnótico. El sonido de las carracas ardiendo y los cohetes era atronador.

El inspector Ramírez notó que en su bolsillo vibraba el móvil. Era una llamada con un número oculto.

—¿Diga? Se oye muy mal, hay demasiado ruido. Ah, claro. Enseguida nos vemos.

—Chicos, ahora vengo. Necesitan mi ayuda para sacar al demonio gigante. Seguid disfrutando de la fiesta.

Mati estaba tan entusiasmado con el espectáculo pirotécnico que se metió para bailar entre los demonios y la multitud.

María no quería entrar en el baile diabólico, aunque pensó que sería una buena forma de quitarse el frío, prefirió calentarse cerca de una hoguera encendida donde combatir el intenso frío de la noche.

Pasaron diez minutos; entre la humareda y la multitud, María perdió de vista a Mati.

Las puertas de madera del pórtico se abrieron y apareció una carroza con la marioneta de un demonio a tamaño real atado a unos palos. En la base, colocados de manera estratégica, un montón de troncos de leña. Era el acto final de la fiesta; en ella se quema al gran demonio en una gran hoguera. El demonio llevaba una sábana negra que le cubría por completo el cuerpo y una máscara con una nariz puntiaguda y unos cuernos exageradamente grandes. La leña comenzó a arder rápidamente, al igual que el demonio, que debía llevar un acelerante para la rápida combustión. La gente vibraba y aplaudía la escena, completamente absortos ante tal derroche de realismo.

Fue a los ocho minutos del encendido cuando varios asistentes comenzaron a notar un fuerte olor a chamuscado, un olor a carne quemada, pero era un olor distinto: olía a carne humana quemada.

De repente, el demonio cobró vida, empezó a hacer movimientos bruscos intentando soltarse las ataduras, pero esos movimientos duraron muy poco. Los bomberos acudieron para apagar el fuego; la máscara se había fundido con la piel, que estaba completamente chamuscada. Con cuidado se la retiraron, llevándose parte de las mejillas con ella. Los ojos habían hervido en el cráneo. En su frente se podían ver unos cortes hechos con un bisturí de gran precisión que formaban la palabra «PROXENETA».

María, mostrando la placa para que la dejaran pasar, se acercó hasta la macabra escena. El cuerpo estaba completamente quemado, pero no había duda: era el inspector Ramírez.

A la mañana siguiente, en el despacho del inspector, se encontraron sobre la mesa del escritorio todos los sobres con el dinero y la lista de las mujeres que traía en contenedores.

—Por mucho que te pese, tenemos que investigar a Marc. Él estuvo aquí ayer y tampoco estaba ayer con nosotros —exclamó Mati con cierta brusquedad.

María frunció el ceño y miró a Mati.

—¿Crees que no he hecho mi trabajo? A pesar de que sea mi pareja, también he tenido esa duda. Marc estuvo ayer en el Auditórium hasta las doce de la noche, sentado en la fila 7, butaca 6, viendo una ópera. Los asistentes de los asientos contiguos me lo han confirmado y me lo han descrito perfectamente. Además, hemos revisado las cámaras del teatro y se le ve varias veces con su traje negro. No insistas con él.

Justo al terminar de hablar, tocaron a la puerta del despacho. Era un agente del TEDAC con un paquete en la mano.

—Ya te puedes imaginar lo que es. Está comprobado, no hay peligro y es para ti: «PARA MARÍA, SUBINSPECTORA».

La subinspectora abrió con cuidado la caja. Retiró unos papeles arrugados y encontró lo que esperaba: un *siurell*. Este *siurell* era distinto a los anteriores; este era rojo intenso, con líneas pintadas en negro y tenía forma de demonio con unos cuernos también de color negro. Tenía las extremidades en forma de cruz, al igual que el inspector en la hoguera.

Realmente si alguien creía que iba a quedar impune este acto tan impío y malvado, estaba muy equivocado. La sociedad está corrupta, hoy es un grano de arena pero cada vez la montaña se hace más grande. El fuego de Dios ilumina, el fuego del mundo es desolador. No me busques María, yo te encontraré.

El funeral del inspector se celebró en la iglesia de Nuestra Señora del Socorro, una iglesia renacentista del siglo XVIII. En ella está uno de los mejores órganos barrocos de Mallorca. Su torre, la más alta de Palma, mide cuarenta y siete metros. Al funeral asistieron todos los agentes del departamento de policía. María llevaba un serio vestido negro. Marc estuvo con ella en todo momento. Mati, cuatro filas de bancos más atrás, los miraba con cierto recelo.

VII

La burbuja

Calma (si alguna vez la hubo). Un aura de sosiego y tranquilidad fue la tónica predominante en los cinco años posteriores al asesinato del inspector Ramírez. Pero era una calma incómoda, como cuando en la selva todo se vuelve silencio porque sabes que el depredador está al acecho, agazapado, vigilando a la presa.

La calma que precede a la tempestad.

Y de repente, de forma imprevista,
llega alguien que repara tu viejo columpio de emociones,
lo pinta con colores cálidos, le asegura los tornillos,
les pone aceite a las cadenas y deja de hacer ruido.
Entonces es cuando te sientes seguro
y no tienes miedo a nada.
Vuelas de nuevo, porque si te sientes caer
sabes que no estás solo.

Llegaron hasta la entrada del hotel empapados. Eran las nueve de la noche, no hacía frío, la temperatura era agradable, aunque la lluvia no había cesado durante tres días consecutivos.

Estaban disfrutando de su séptimo aniversario de novios y el clima era lo que menos les importaba. Marc y María subieron a la quinta planta, habitación 507. Al entrar, se quitaron la ropa mojada y se dieron una ducha. Marc quería hacer el amor, pero María insistió en que lo dejaran para más tarde; tenía mucha hambre y quería cenar. Marc miró la carta y llamó a recepción.

—Buenas noches, ¿nos pueden subir a la habitación 507 dos entrecots con ensalada sin vinagre y una botella del mejor vino que tengan? Muchas gracias.

María estaba en el balcón admirando las vistas cuando Marc se acercó por detrás y, poniéndole los brazos alrededor de la cintura, la abrazó fuertemente.

—Gracias por la carta, Marc, ha sido un detallazo.

—¡Qué bonito! ¿verdad? —exclamó María. Desde el balcón del hotel se podía ver perfectamente la torre Eiffel, completamente iluminada, alzándose centelleante sobre la ciudad y dando luz al oscuro cielo parisino.

—Inmejorable, y no me refiero a las vistas —contestó Marc mirando a su chica.

—Me encanta París, ha superado mis expectativas. Es una ciudad mágica. La ciudad del amor. ¿Por qué ahora, Marc? ¿No querrás pedirme matrimonio? —dijo, haciendo un gesto de ponerse la alianza.

—Vaya, ya me has fastidiado la sorpresa —sonrió.

—No, María, de momento no, pero cualquier momento es bueno para venir a pasar unos días a la capital francesa. Te prometí que vendríamos y aquí estamos. En unos días volveremos a estar en Mallorca, envueltos en la rutina de todos los días, tú con tu estrés en el trabajo y yo vendiendo obras de arte a millonarios que no saben dónde invertir su dinero. Disfrutemos de estos ratos. Quién sabe si nunca más podremos volver.

—No digas eso, Marc, yo quiero venir muchas más veces.

—Claro, inspectora, lo que usted diga. —Le guiñó el ojo.

—Marc, ¿por qué no nos vamos a vivir juntos? Yo creo que ya va siendo hora.

A Marc esa pregunta le pilló de sorpresa. Intentó salir del paso como pudo.

—Tengo unas cosas que hacer en Palma, temas pendientes que cerrar. En unos meses estará todo solucionado, ya después hablaremos del tema. No nos va tan mal así, ¿no?

A la recién nombrada inspectora no le gustó nada la respuesta. Su cara era muy expresiva; se puso colorada y frunció el ceño.

—¡Hombre! Después de siete años, yo creo que ya es el momento, pero no quiero presionarte. Entiendo que quieras tu espacio —dijo poco convencida de lo que estaba diciendo, más bien, resignada.

Marc se acercó al mueble recibidor donde había un reproductor de música, empezó a sonar la canción de Whitney Houston *I Will Always Love You*. Marc cogió a María de la cintura y comenzaron a bailar lentamente mientras él se la tarareaba al oído.

—Siempre te querré.

A María le habían dado el cargo de inspectora hacía una semana y, antes de entrar en funciones, le otorgaron unos días de vacaciones para volver con más fuerzas. A Marc, la galería de arte le estaba funcionando a las mil maravillas; las ventas de las obras mejoraban las expectativas más optimistas, la publicidad había funcionado y la Galería Marc Metzger era conocida en gran parte de Europa y Norteamérica.

Esa noche, Marc y María hicieron el amor apasionadamente bajo el cielo de París.

Emil se terminó el almuerzo rápidamente, quería volver a la celda lo antes posible porque le tenían que llamar para darle el certificado de que se había sacado el título de teología. Ya se lo habían comunicado, pero quería ver el aprobado por escrito.

—Toma, aquí tienes tu título. Ahora a dar misas, ¿no? —dijo un guarda pasándole un sobre entre las rejas—. Por cierto, tienes visita. Quieren hablar contigo.

Emil no esperaba recibir visita, no le apetecía hablar con nadie. La mayor parte de la condena se la había pasado estudiando, comiendo y durmiendo; prácticamente no tenía relación con ningún preso y no le parecía apropiado perder el tiempo en conversaciones con gente con la que él pensaba que su nivel intelectual no alcanzaba la media.

Se sentó en la silla de la sala de visitas, visiblemente incómodo.

—Buenas, señor Metzger. Soy Mati Fontano, subinspector del departamento de la policía científica. Quería hacerle algunas preguntas.

—Todo lo que tenía que decir ya lo dije en su momento, ya he cumplido la mayor parte de la condena y no tenéis ninguna pregunta que hacerme —dijo Emil, visiblemente irritado.

—No es sobre usted, señor Metzger. Es sobre su hijo. Marc.

—¿Marc? El hijo pródigo que volverá a mí sin que lo llame. No tenéis ni idea de cómo es Marc ni de lo que es capaz. Yo de vosotros, lo vigilaría de cerca —respondió Emil—. Sinceramente, no quiero saber nada de él. Mi comportamiento aquí en la prisión es ejemplar y en pocos meses tendré la libertad condicional y quiero impartir clases de teología. No quiero nada más en mi vida. No quiero problemas. —Emil ni siquiera miraba al subinspector.

—Ya, si me parece muy bien, pero hay un caso… El caso del *siurell*. —Mati le tiró sobre la mesa un periódico donde se hacía referencia al asesinato del inspector Ramírez.

—La pregunta es si podría ser él —preguntó Emil sin mirar el noticiario.

—Señor Fontano, ¿está usted libre de pecado? Si es así, no tema. Si la respuesta es negativa, que es lo más seguro, vigile en cada esquina. Lárguese de aquí, subinspector, no pierda el tiempo conmigo. Será mejor que no juegue con fuego, ya sabe, el que juega con fuego acaba quemándose.

Emil se levantó de la silla y tocó la puerta para dar por concluida la visita.

María y Marc regresaron de París, y ya en Mallorca volvieron a su rutina habitual.

Eran las diez de la mañana cuando Marc llamó por teléfono a Ralph. Le preguntó si podía acudir a la Galería, tenía que comentarle algo de suma importancia. Ralph Ritter trabajaba como médico independiente, tenía su propio consultorio y otras veces le llamaban de las compañías de seguros para realizar exámenes a enfermos con dudosas bajas laborales.

No tenía ninguna consulta que hacer y no dudó en acercarse a ver a Marc.

—¡Buenas, mendrugo! Gracias por venir tan rápido. ¿Cómo va todo?

—Hola, Marc, bien. Me has dejado preocupado. ¿Ocurre algo? —preguntó mientras tomaba asiento.

—Ralph, ¿cuánto hace que nos conocemos? Aparte de Eva y Amari, no tengo muchos más amigos, amigos de verdad. Luego hay interesados que les conviene estar cerca para ver si pueden sacar algo de tajada a través de mis negocios. Vosotros sois auténticos. Amari se va a quedar en Mallorca, cosa que me alegra profundamente, por eso he pensado que si pasase algo, quiero que entre vosotros tres llevéis la Galería. No tengo a nadie más en quien confiar.

Estas palabras dejaron a Ralph completamente descolocado.

—¿Qué pasa, Marc? ¿Te encuentras bien? ¿Tienes alguna enfermedad que no me hayas comentado? Dime, yo puedo ayudarte.

—No, compañero, nada de eso. Solo que nunca se sabe lo que puede pasar y quiero que las cosas queden claras. Lo dejaré todo por escrito.

—¿Y María? ¿Por qué no le dices a ella que se encargue?

—María ya tiene demasiado lío con su trabajo, sería demasiado ajetreo para ella. ¿No estás de acuerdo? —preguntó Marc extrañado.

—Sí, sí, pero qué quieres que te diga. No esperaba escuchar esto. Puedes estar seguro de que llevaría la galería lo mejor que pudiese y Eva estaría encantada, pero prefiero que continúes tú con tu negocio.

—No se hable más, Ralph, así lo tengo decidido.

Ralph le estrechó un fuerte abrazo y se despidió de Marc, dándole vueltas a la cabeza sobre por qué había tomado esa decisión.

Los meses de abril, mayo y junio pasaron sin que sucediese nada relevante. Una ola de calor llegó a Mallorca procedente de África y las temperaturas alcanzaban casi los 38 grados centígrados. El turismo de garrafón empezaba a hacer estragos en la zona de Magaluf y el Arenal, y la policía local estaba desbordada. La galería seguía obteniendo grandes beneficios, Amari encontró trabajo en un colegio en la zona de las Avenidas donde impartía clases de alemán. El grupo de amigos quedaba de vez en cuando para ir a tomar unos mojitos, charlar y desconectar del mundo.

El mismo día de la mayor catástrofe marítima de la historia, el hundimiento del Titanic, se inauguró el tren de Sóller que unía Palma con la ciudad de Sóller.

Sóller es un municipio situado en la costa noroeste de la sierra de Tramontana con una población de unos trece mil habitantes; es uno de los pueblos más bonitos y más visitados por el turismo. Lo rodea un fértil valle de naranjos. En su arquitectura se percibe la esencia de Gaudí; su iglesia es un claro ejemplo. La orografía de la zona dificultaba la comunicación de Sóller con Palma y, a través de su bello puerto, se centró en la exportación mercantil hacia Francia. Este problema se solucionó con la construcción del tren de Sóller.

El trayecto de Palma a Sóller con el tren es un viaje imprescindible para cualquier turista que añore tiempos de antaño. Es un viaje en el tiempo.

El tren es de madera y atraviesa las montañas pasando por varios túneles.

El tren sale de la Plaza de España en el centro de Palma; durante más de una hora se desplaza a poca velocidad, permitiendo contemplar el paisaje.

Al llegar al pueblo puedes subirte al tranvía que te lleva al puerto, donde está la única playa del noroeste de la isla.

En el Puerto de Sóller puedes disfrutar del paseo y de los restaurantes frente al mar.

Xispa se acabó las carrilleras pertenecientes a los músculos maseteros del señor Bastian. Se estaba relamiendo y movía enérgicamente la cola, expresando felicidad.

Marc cogió el teléfono para realizar una llamada.

—Buenas, ¿es usted el señor Miguel Coulier?

—Sí, ¿quién pregunta?

—Verá, mi nombre es Marc. Me pasaron su teléfono porque encontré a su perro, un Golden Retriever. Me preguntaba si le gustaría verlo de nuevo.

—¿Tienes a Xispa? —preguntó sorprendido—. ¡Yo ya lo daba por muerto! ¡Qué alegría me acabas de dar!

Sus frases sonaban entrecortadas y su voz era ronca. Era evidente que estaba ebrio.

—¿Por qué no nos vemos en la zona del Caubet, el área recreativa donde la gente se junta para torrar, cerca de Bunyola? ¿Conoces la zona? Hoy día laborable no creo que haya nadie por ahí.

—Genial, yo puedo llegar en una hora. Llegaré con una furgoneta roja. Nos vemos allí.

La zona de Caubet es un merendero con fogones para torrar, frecuentado por familias y grupos escolares. Desde ahí se puede ver el tren de Sóller.

Marc bajó al sótano, cogió a Xispa y se metió en el coche.

Llegó a las once y cuarto. Como había predicho, no había nadie a esas horas. Esperó un cuarto de hora mientras jugaba con

Xispa, tirándole una pelota de tenis una y otra vez. Una furgoneta roja, medio destartalada, apareció por la puerta de entrada y aparcó junto a él.

De la furgoneta bajó un hombre de unos cincuenta años. Estaba escuálido, extremadamente delgado, vestía desaliñado, con ropa vieja y roída, llevaba una barba canosa que le llegaba a la altura del pecho. Parecía un vagabundo.

—¡Xispa! ¡Xispa! —exclamó Miguel.

El perro se giró hacia él. En un principio se quedó quieto, pero enseguida lo reconoció. Salió disparado y saltó sobre él, moviendo la cola y chupándole la cara.

A Marc esa acción le resultó realmente irritable. Pensó en la nobleza de los perros y la falta de rencor que tienen estos animales.

—¡Cómo me quiere! ¿Me lo puedo quedar? —preguntó Miguel.

Marc notaba el aliento a alcohol a tres metros de distancia. También se percató de las marcas en los brazos de las jeringuillas, seguramente por el consumo de heroína.

—¡Claro! Para eso he quedado contigo —dijo Marc en un tono irónico que Miguel no percató—. Solo te voy a pedir que me firmes unos papeles para el cambio de nombre. ¡Vamos al coche un momento!

Los dos subieron al coche. Marc se metió la mano en el bolsillo.

—¿Y bien? ¿Dónde hay que firmar? —preguntó ilusionado Miguel.

Miguel sintió una punzada en el cuello. Marc le había clavado una aguja con embutramida, un potente sedante que produce la parálisis del tallo cerebral, colapso circulatorio y asfixia.

—Miguel, esta es tu última inyección —dijo Marc sujetándole la cabeza con la otra mano.

Marc llamó a Xispa con un silbido. Vino corriendo y, de un salto, se metió en el coche por la ventanilla abierta de la puerta de atrás.

Detuvo el coche a unos trescientos metros del merendero, en una zona repleta de frondosos árboles de encinas por donde pasaba el tren de Sóller.

Marc sacó el cuerpo de Miguel. La cantidad de embutramida inyectada había sido calculada para no causarle la muerte inmediata. Estaba en parálisis muscular. Le pasó una soga alrededor de las axilas y la lanzó con fuerza por encima de una gruesa rama de un árbol. Ejerciendo fuerza a modo de polea, alzó el cuerpo y lo dejó colgando. El cuerpo quedó en el trayecto de las vías del tren.

—Miguel, recogí a Xispa con múltiples fracturas, un vehículo le pasó por encima, despellejado, sin pelo, lleno de erupciones por culpa de las picadas de las pulgas, lo cuidé y lo sané. Te ve y va hacia ti como si no hubiese pasado nada, y ¿ahora quieres llevártelo? Buen viaje, Miguel. Hoy no pierdes el tren.

El tren logró detenerse antes de golpear el cuerpo, pero minutos antes había fallecido por asfixia. En el suelo, cerca de las vías, encontraron un *siurell* hecho trizas y una carta dirigida a la inspectora María Blanco.

Inspectora, ya queda poco para que nos veamos. Seguro que está deseosa, al igual que yo, de que llegue ese momento. A mí me toca vengarme, yo le daré a cada cual su merecido.

María llamó a Mati al despacho. Estaba cansada, desesperada con el caso del Siurell, sobre todo estaba perdida, no sabía por dónde buscar. Y lo que menos le gustaba era que el asesino fuese siempre un paso por delante.

—Hola Mati, creo que no nos queda otra que informar a la prensa. Datos, nombres de las víctimas, toda la información que tenemos, a ver si por casualidad alguien nos puede ofrecer alguna pista.

—Está bien, María, tenemos que pedir el consentimiento a los familiares para esto, pero no nos queda otra.

—¡Estás tardando, Mati! ¡Al trabajo!

La publicación en la prensa y televisión de las víctimas del caso Siurell no estaba dando los resultados deseados. Familiares y amigos salieron en las noticias pidiendo ayuda, pero no fue hasta pasadas dos semanas que el inspector recibió una llamada esclarecedora.

—Comisaría de la policía científica, mi nombre es Mati Fontano, subinspector, ¿en qué le puedo ayudar?

—Hola. ¿Me oye? —La voz era baja y temblorosa.

—Sí, diga.

—Puede ser que tenga alguna información acerca del caso Siurell. No quiero dar mi nombre, ni voy a acudir a sus oficinas.

—Antes de nada, tengo que informarle de que la llamada va a ser grabada. Cualquier ayuda que nos pueda ofrecer es buena. Dígame lo que sepa —comentó Mati.

—Verá, yo soy veterinario. Ya no ejerzo, me he jubilado hace unos años. Nunca he tenido problemas con ningún cliente. Hace bastantes años, un hombre muy educado me trajo a la clínica un perro. Era un Golden. El perro estaba muy malherido, lo habían abandonado y un coche lo había atropellado, pero ese hombre insistió en que hiciese todo lo que estaba en mi mano para sanarlo. Me pidió por favor que, a través del chip, le diese información sobre su dueño. Sé que hice mal, pero se la di. Lo siento. El dueño del perro se llamaba Miguel Coulier, el hombre que encontraron hace poco, en las vías del tren.

—Esta información es muy valiosa. Nadie lo va a juzgar por la protección de datos, no se preocupe. ¿No sabrá el nombre de la persona que se quedó con el perro, no? ¡Eso sería maravilloso!

Hubo un silencio que duró unos diez segundos.

—¿Sigue ahí?

—En un principio no lo recordaba —volvió a hablar el veterinario—, pero volví a la clínica para ver los documentos. Puse el chip a su nombre. Su nombre es Marc Metzger.

Mati se quedó de piedra al escuchar la confesión. La corazonada que tenía respecto a Marc era cierta. Se le cayó el teléfono de las manos, pero consiguió cogerlo al vuelo antes de que se estampase contra el suelo.

—¿Hola? ¿Está ahí, subinspector?

—Perdone, ¿está usted seguro de lo que me está diciendo? —preguntó Mati agitado.

—Cien por cien seguro. Tengo la ficha, se la puedo hacer llegar. Ahora le tengo que colgar.

Emil recogió los pocos enseres que tenía. Las rejas de la celda se abrieron para dejarle salir. Había conseguido la libertad que tanto ansiaba. Era una libertad provisional, pero por fin estaba en la calle. Nadie le estaba esperando en la salida, aunque tampoco le preocupó en absoluto. Su intención era trabajar en alguna asociación benéfica, en algún centro de alcohólicos anónimos, y ayudar con la palabra de Dios a reconducir a las personas descarriadas del camino correcto.

María llegó a la comisaría. Como cada mañana, Mati había llegado antes y la estaba esperando en el despacho junto con el comisario jefe y varios agentes. El subinspector tenía un café en la mano, pero tuvo que dejarlo en la mesa ya que se le estaba derramando todo. Estaba sudoroso, acalorado y muy nervioso.

—¿Qué pasa, Mati? ¿Te encuentras bien? ¿Qué hacéis todos aquí? —preguntó extrañada.

—Siéntate, María, por favor. Tenemos que hablar del caso Siurell —dijo el comisario—. Lo que vas a escuchar no te va a gustar, te pedimos que tengas templanza y calma.

Le pusieron la grabación de la conversación telefónica con el veterinario. María no daba crédito a lo que escuchaba.

—¡No puede ser! ¡No me lo creo! ¡No es verdad! —dijo sollozando—. ¿Habéis verificado esta información?

—Está comprobada, tenemos los documentos. Es Marc —comentó Mati acercándose a María para calmarla.

—Ya estás contento, ¿verdad? ¡Cabrón de mierda! Le tenías tantos celos… —exclamó dirigiéndose a Mati.

Mati la abrazó con fuerza, María rompió a llorar.

—Lo siento, María, lo siento.

El comisario se levantó de la silla con calma. Se dirigió a María e intentó calmarla.

—No es culpa tuya. Tenemos que actuar, pero lo haremos mañana. Hoy no hables con él, no os veáis, dile que estás ocupada, lo que quieras.

Mañana te diré lo que haremos. Un agente te acompañará las veinticuatro horas hasta que nos veamos aquí —ordenó el comisario.

—¿Pensáis que voy a decirle que lo hemos descubierto? ¿No confiáis en mí?

—No es eso, María, es por tu seguridad —respondió Mati.

—¡Marc no me haría nada! ¡Marc me quiere!

—¿Crees que un depravado como él puede querer a alguien? ¿No será que te ha utilizado para llegar hasta este punto? —preguntó el comisario.

No hubo contestación, solo llantos. María sabía que el amor que había entre los dos era real, pero no tenía ni fuerzas ni ganas de intentar convencerlos.

María llegó a su casa y se metió en la habitación, no podía creer que el asesino del Siurell fuese Marc, su querido y amado Marc. No podía entender cómo podía haber vivido tanto tiempo sin darse cuenta de nada y cómo una persona en apariencia tan perfecta pudiese ser un auténtico monstruo. El mundo se le vino encima.

Una tromba de agua cayó durante toda la noche haciendo un símil a los llantos que no cesaron en la cama de María.

Al día siguiente, María llegó a la oficina. Su aspecto era lamentable. No se había maquillado, tenía ojeras y su rostro era la tristeza personificada. Todos la estaban esperando.

Recibió órdenes precisas del comisario. Tenía que hacer acopio de fuerzas para enfrentarse a la situación y llamar a Marc como si no supiera ni pasase nada.

El teléfono daba la señal, pero no hubo respuesta. Volvió a llamar.

—Hola, Marc. ¿Qué tal? Te echo de menos —se esforzó en disimular—. ¿Dónde estás? ¿Podemos vernos? Por cierto, no sé si lo sabes, pero tu padre salió de la cárcel.

—Hola, María. Perdona que no te llamase ayer, estuve muy ocupado. Sí, sé que mi padre salió de la cárcel. Estoy al tanto

—respondió Marc con un tono sosegado—. Claro que puedes venir, ven a casa. Te estoy esperando. Os estoy esperando a todos. —Colgó.

Los policías que estaban escuchando la conversación se miraron entre ellos. Su última frase les dejó a cuadros.

—Vamos para allá, mandad a todos los agentes disponibles que se dirijan a Génova. Dejaremos que María entre primero, pero en cuanto entre, nosotros vamos detrás. Mucho cuidado, es extremadamente peligroso. ¡Mati! Tú vas con María. No quiero más sorpresas —ordenó el comisario.

La lluvia había cesado y el calor volvía a hacer acto de presencia.

María llegó a la casa. Las rejas estaban abiertas de par en par como dando la bienvenida a quien quisiera entrar. La inspectora pensó que Marc nunca hubiese dejado las rejas de la entrada abiertas.

Todavía le extrañó más encontrar la puerta de la casa entreabierta. María y Mati sacaron el arma de la funda y encendieron las linternas.

La casa estaba en penumbra, había un silencio sepulcral que inquietaba todavía más a los dos agentes.

—Mucho cuidado, María, abre bien los ojos —susurró Mati.

Oyeron ruidos en la zona de la cocina. Escucharon unos pasos que se acercaban hacia ellos. Podían sentir sus propios latidos del corazón como si fueran tambores, las manos les temblaban. Entraron en la cocina sin hacer el más mínimo ruido. Junto al frigorífico, que tenía la puerta abierta, vieron a Xispa que estaba relamiendo algo del suelo. Era el cráneo despellejado de Bastian.

—¡El perro de Marc! ¡El Golden! ¡Tendría que haberlo sabido! —se reprochó María mientras se le caía una lágrima por la mejilla.

El perro les miró un instante, apenas les hizo caso y siguió con su almuerzo.

—No es momento de lamentarse. Sigamos. Aquí abajo no hay nadie. Vamos arriba.

María y Mati subieron las escaleras en dirección a las habitaciones. En dos de ellas no encontraron nada. En la tercera, la habitación principal, encontraron en la cama, extendido, puesto adrede, el jersey verde con rayas blancas. El jersey que describieron las jóvenes violadas.

María sacudía la cabeza como intentando despertar de una pesadilla.

—Cálmate, cálmate, no es culpa tuya.

—¿Cómo no me di cuenta? —lloraba María.

—Esta casa tiene sótano. Bajemos al sótano. Llamemos al resto del equipo. Que entren con nosotros. —Mati no quería aparentarlo, pero sentía auténtico pánico.

Abrieron la puerta que se dirigía al sótano. Con cuidado, bajaron las escaleras. María iba delante, el resto la seguían con las armas apuntando al frente, vigilando atentos a cualquier movimiento. No había nadie. El sótano estaba limpio y ordenado. Las estanterías llenas de los objetos quirúrgicos colocados de mayor a menor. Las cámaras frigoríficas estaban vacías y el horno cerámico limpio como la patena. La pared con la cristalera de cristal opaco cambió y el cristal pasó a ser completamente transparente, dejando ver lo que había tras él.

Todos los agentes apuntaron las armas hacia la cristalera al ver la escena que apareció ante ellos. En el interior estaba Marc, de pie, vestido con su mejor traje negro, relajado y muy tranquilo con las manos apoyadas sobre el respaldo de una silla. En la silla, atado de pies y manos, había un hombre delgado. Era Emil, su padre. En el interior de la sala, salvo un pequeño arcón y una sábana al fondo, no había nada más.

—¡Guau! ¡Cuánto público! —gritó Marc—. Estarás contento, papaíto. Mira cuánta gente ha venido a verte —dijo con sorna.

—Marc, vamos a entrar y será mejor que no hagas ninguna tontería. No tienes nada que hacer. Todo ha terminado —exclamó Mati acercándose a la puerta.

—¿Todo ha terminado? ¡Si acaba de empezar!

—Será mejor que no abras esa puerta, subinspector de pacotilla. El enamorado de la novia del malo. ¿Se puede caer más bajo?

Mati notaba cómo se le subían los colores por la rabia que estaba acumulando. Se dio cuenta de que apretaba el arma con demasiada fuerza y separó los dedos del gatillo.

—Si os fijáis, las puertas de estas cristaleras tienen conectados unos cables. En el momento que alguien rompa un cristal o se le ocurra abrir la puerta, un gas llenará toda la sala y moriremos todos. Solo yo tengo el interruptor para desconectar los cables. ¿Conocéis el gas sarín?

Seguro que sí. Para quien no lo conozca, el gas sarín ataca el sistema nervioso, quien lo inhala muere por asfixia en breves segundos, ya que los músculos implicados en la respiración dejan de funcionar. Ahora que lo sabéis, adelante, ¿Alguien quiere entrar conmigo?

El comisario llamó por teléfono y solicitó máscaras antigás a los agentes que habían quedado fuera.

—No se apure, comisario Arnau. Esto acabará antes de que lleguen con las máscaras. —Marc seguía calmado—. Os presento lo que yo llamo «mi burbuja». Mi lugar de desconexión. El lugar donde todo es paz y relajación, donde todo es orden. Solo falta una cosa para concluir. —Marc se acercó a la silla donde estaba su padre—. Papá, ahora que todos están aquí, ¿fuiste tú quien mató a mamá? —preguntó acercándose a la cara de Emil.

—No, no fui yo. Tu madre se suicidó. Déjame irme.

—Con todo lo que me has enseñado, no puedo dejarte así. El padre enseña, el hijo aprende.

Marc se acercó al arcón que había en la esquina de la sala. Al abrirlo, sacó de él un hacha.

—Papá, ¿Te acuerdas de esta hacha vikinga? Mango de fresno para un mejor agarre. Seguro que te acuerdas, porque yo me acuerdo muy bien y era muy pequeño —preguntó balanceando el arma—. ¿Tiraste a mamá por el balcón?

María se había quedado muda. Estaba totalmente en shock y no podía pronunciar palabra. Hizo un esfuerzo.

—¡Para, Marc! ¡Para! ¿Por qué? ¿Por qué haces esto? —gritó María—. ¿Y nuestro amor? ¿Dónde ha quedado? —preguntó desconsolada.

Marc miró fijamente a María.

—María, nuestro amor ha sido lo único que no tenía previsto —contestó Marc—. ¿Por qué lo hago, me preguntas? ¿Acaso no hacéis lo mismo vosotros? Atrapáis a los delincuentes, os llenáis la boca de impartir justicia, de meterlos en la cárcel y ¿para qué? ¿Para que a los pocos años estén delinquiendo de nuevo? Violando, robando, matando… Yo, por lo menos, me aseguro de que no lo vuelvan a hacer. ¡Yo soy Dios! ¡Soy Dios! ¡Yo soy justo!

María rompió a llorar.

Marc se acercó con el hacha al gurruño de sábanas apiladas. Cogió la sábana y tiró de ella. Al tirar, apareció el cadáver esquelético de una mujer prácticamente descompuesto. Era un amasijo de huesos y muy poca carne putrefacta, pero era evidente quién era. Era su madre, Antonia.

—Mamá, hoy acaba todo. Hoy todos descansaremos.

Marc volvió a colocarse detrás de su padre y alzó el hacha con las dos manos.

—¿Qué banda sonora te parece apropiada para este momento, papá? A mí se me ocurre una, *Highway to Hell* de AC/DC. Papá, ¿fuiste tú?

—Sí, sí, sí. Yo la tiré. Yo tiré a la puta de tu madre. Es lo que se merecía —gritó angustiado Emil.

Marc inclinó los brazos hacia atrás para coger impulso en su fatal movimiento.

—¡Para, Marc! ¡Para! —gritó desesperadamente María—. ¡Estoy embarazada!

Marc detuvo el movimiento y volvió la cabeza hacia María.

Durante treinta segundos, el mundo se detuvo. Unas lágrimas cayeron por las mejillas de Marc. Se imaginó con su hijo paseando por el campo, jugando, corriendo, cogiendo ranas y enseñándole los tipos de animales que habitaban en él. Se imaginó yendo alguna tarde a recoger morera para los gusanos de seda que seguramente cultivaría.

Levantó de nuevo el hacha.

—¡Ningún joven cuida ya gusanos de seda! —exclamó furioso.

Le incrustó el hacha en la cabeza con tal fuerza y estaba tan afilada que el corte terminó a la altura del esternón. La cabeza se le separó en dos.

Había sangre y restos de carne por todo el suelo y los cristales se tiñeron de rojo.

Un haz de luz salió del cadáver de la madre, revoloteando como una luciérnaga; se acercó a Marc y dio un par de vueltas a su alrededor hasta que finalmente desapareció por el techo de la sala sin dejar rastro.

Marc se metió la mano en el bolsillo del pantalón, pulsó el botón de un mando y la activación del gas se quedó desactivada.

Sin inquietarse, Marc puso sus manos sobre su cabeza y se arrodilló.

—El acto final ha concluido —se limitó a decir. Los agentes entraron en la sala y, tirándolo al suelo, pusieron las esposas a Marc y se lo llevaron.

Junto a la cristalera había una caja y una nota: PARA MA-RÍA. María la abrió con cuidado.

Dentro había un *siurell* roto por la zona de la cabeza y un papel con una anotación.

Nuestros actos nos conducen por la vida y nos condenan a la muerte.

Siempre te querré.

Gris perla. Era el color de las paredes de la cárcel donde Marc estaba cumpliendo condena. Llevaba un año y medio y su aspecto había empeorado bastante. Estaba más delgado, había perdido masa muscular y tenía el pelo más canoso.

—Marc, tienes visita —dijo un guarda.

En la sala apareció María con un bebé precioso de un año; era moreno, con ojos azules y de piel blanca como la nieve.

—Hola, Marc. ¿Cómo estás? ¿Cómo lo llevas aquí encerrado? Mira qué grande está tu hijo Joseph. Ya casi empieza a caminar.

—Está muy grande y es guapísimo, se parece muchísimo a ti.

—¿Qué vas a hacer tanto tiempo aquí encerrado? —preguntó María.

—Contar el tiempo que me falte para salir. Voy a escribir un libro. Un libro sobre mi vida. Lo llamaré *Siurell*.

En la comisaría las cosas se habían calmado, había nuevos casos, pero ninguno tan caótico ni perturbante como el caso del Siurell. María pidió un tiempo de excedencia para cuidar de su hijo. Mati fue ascendido a inspector y se adjudicó el despacho de María hasta su regreso.

Toc, toc. Tocaron a la puerta.

—Adelante.

—Inspector Mati, han traído un paquete para usted. —Era un agente del TEDAX.

A Mati se le congeló la sangre.

—Está bien, déjalo aquí.

Mati abrió con cautela la caja.

Dentro había una gran cantidad de porexpan y, entre el porexpan, un *siurell* y una carta.

Inspector Fontano, el legado de Marc ha echado raíces. Ningún narcotraficante debería quedar libre de culpa. Deberían ahogarse en su propia mercancía como escarmiento. Le dejo la dirección del almacén donde encontrará al pecador con una sobredosis de cocaína. El ansia mata.

Polígono Can Valero, parcela 8, nave 2B.

«Yo no soy Dios, Dios solo hay uno. Pero creyentes somos muchos».

Seguiremos en contacto.

Índice